Chère lectrice,

Ce mois-ci, dans [illegible]izon, je vous propose des romans d[illegible]ns doute en raison du retour du printemp[illegible]ésolument optimiste… Vous ferez tout d'abord la connaissance de Kamar ibn-Asad, prince de Zohra-zbel, qui mettra tout en œuvre pour séduire la jolie Selina Carrington, pourtant très méfiante vis-à-vis des hommes (*Un prince de charme*, n° 2057). Ensuite, vous verrez dans *Une passion inattendue* (n° 2058) que le destin fait bien les choses puisqu'il met en présence Eugenia et Luke, qui ne vont pas tarder à tomber amoureux l'un de l'autre… Quant à Garek et Ellie, c'est également le hasard qui va les faire se rencontrer. Et si, au premier abord, ils se détestent, ils vont bientôt réaliser qu'ils sont faits l'un pour l'autre (*Pour l'amour d'un célibataire*, n° 2059). Enfin, dans *Un papa d'exception* (n° 2060), vous assisterez aux tendres retrouvailles de Gabrielle et Joe qui vont apprendre, avec le petit Oliver âgé de sept ans, à construire la plus belle des familles…

Bonne lecture !

La responsable de collection

Un prince de charme

SUE SWIFT

Un prince de charme

COLLECTION HORIZON

éditions Harlequin

Cet ouvrage a été publié en langue anglaise
sous le titre :
ENGAGED TO THE SHEIK

Traduction française de
CATHERINE BELMONT

HARLEQUIN®

est une marque déposée du Groupe Harlequin
et Horizon® est une marque déposée d'Harlequin S.A.

Originally published by SILHOUETTE BOOKS,
division of Harlequin Enterprises Ltd.
Toronto, Canada

83-85, boulevard Vincent-Auriol, 75013 PARIS — Tél. : 01 42 16 63 63
Service Lectrices — Tél. : 01 45 82 47 47
ISBN 2-280-14474-3 — ISSN 0993-4456

Prologue

La Luna (golfe du Mexique), fin juillet

Merry Montrose traversa le parc du luxueux hôtel qu'elle dirigeait au large de la Floride et s'approcha du quai où allait bientôt accoster le car-ferry qui reliait La Luna au continent.

Transformée en vieille femme voûtée et percluse de rhumatismes par Lissa Bessart Piers, sa marraine, elle ne pourrait échapper à la malédiction dont elle était victime depuis sept ans qu'à la condition d'arriver à convaincre vingt et un couples d'amoureux de prononcer le « oui » fatidique avant son trentième anniversaire. Les dix-neuf candidates soigneusement sélectionnées qu'elle avait déjà aidées à trouver l'homme idéal nageaient toutes dans le bonheur. Mais pour vérifier qu'aucune d'elles ne risquait de rompre ses fiançailles ou de divorcer, elle les surveillait à distance grâce à un petit téléphone-espion que James Bond lui aurait envié.

— Ah, zut ! s'exclama-t-elle après avoir sorti l'appareil de sa poche et essayé en vain de capter quelques images. Il doit y avoir des interférences.

Chaque fois que l'écran de son portable refusait de s'animer, elle avait l'impression qu'une catastrophe sans nom allait anéantir ses efforts et l'empêcher de revoir un jour son pays natal.

Jadis connue sous le titre de princesse Meredith Bessart de Silestie, elle avait grandi sur une île enchanteresse de la mer Adriatique que Lissa l'avait obligée à quitter sept ans auparavant pour la punir de son égoïsme.

— Encore deux couples à pousser vers l'autel et je pourrai rentrer chez moi, murmura Merry en regardant le soleil basculer dans les eaux assoupies du golfe.

Si le palace qu'elle dirigeait avait été situé au cœur de New York, elle aurait eu un mal fou à relever le défi que lui avait lancé sa marraine. Mais les plages de sable blond et les jardins fleuris de La Luna étaient tellement paradisiaques qu'il lui était facile de ménager des tête-à-tête romantiques aux célibataires qui venaient s'y reposer chaque été.

A force de jouer les marieuses, elle s'était aperçue que plus les gens étaient tristes et désabusés, plus ils avaient hâte de fonder un foyer, parce qu'ils savaient que le meilleur moyen de reprendre goût à la vie après un échec sentimental était de retomber amoureux.

— Dommage que ce maudit téléphone soit en panne, car j'aurais bien voulu jeter un œil sur Joyce Phipps-Stover et sur les dix-huit autres jeunes femmes que j'ai aidées à trouver l'âme sœur, maugréa-t-elle en arpentant le débarcadère d'un pas fébrile et en réessayant vainement d'allumer son portable.

Alors que les magiciennes des contes de fées avaient à leur disposition toute une panoplie de baguettes et d'accessoires ultrasophistiqués qui leur permettaient de changer une citrouille en carrosse ou de métamorphoser un crapaud en prince charmant, Merry, elle, devait accomplir des prodiges sans avoir recours au moindre artifice.

Quand elle s'était risquée à prononcer des formules incantatoires au début du mois de mai et que sa tentative d'envoûtement avait mal tourné, sa marraine, qui s'était fait engager comme réceptionniste par le propriétaire de l'hôtel, l'avait traitée d'apprentie sorcière et lui avait défendu de renouveler l'expérience.

— Si tu veux revoir un jour la Silestie, ne t'avise pas de me désobéir, lui avait-elle jeté d'un ton impérieux. Pour remplir la mission que je t'ai confiée, sers-toi de tes dons de psychologue et de rien d'autre… De rien d'autre, tu entends ?

— Oui, avait répondu Merry du bout des lèvres.

Mais son petit téléphone-espion lui était d'une telle utilité lorsqu'il daignait fonctionner qu'elle n'avait pas eu le cœur de s'en séparer.

— Ce doit être Lissa qui s'amuse à le détraquer, grommela-t-elle en glissant un regard irrité vers le hall d'accueil où officiait sa marraine et en secouant énergiquement son portable jusqu'à ce que les visages radieux de Brad Smith et de Parris Hammond apparaissent sur l'écran.

De tous les célibataires dont elle s'était occupée, Brad et Parris étaient ceux qui lui avaient posé le plus de problèmes. Lui, un talentueux biologiste en rupture avec la haute société bostonienne, s'habillait comme l'as de pique et se moquait royalement des usages. Elle, au contraire, était l'élégance et la distinction personnifiées. Aussi obstinés l'un que l'autre, ils avaient passé des heures à se quereller et à faire semblant de se détester avant de s'avouer leur amour dans la palmeraie de La Luna.

— J'ai eu raison de les bousculer un peu, ces têtes de mule, se félicita Merry quand elle les vit s'embrasser sous un ciel indigo.

Après avoir éteint son téléphone pour ne pas violer l'intimité du couple, elle se tourna vers le ferry pavoisé de fanions bleus et blancs qui venait d'accoster dans un joyeux tumulte et balaya les passagers d'un regard scrutateur.

Assis au volant d'une décapotable rouge cerise, ses épais cheveux noirs emmêlés par le vent du large, un homme aux allures de prince oriental descendait du bateau en klaxonnant avec impatience. Moins pressés de débarquer, un deuxième vacancier, aux tempes argentées, et une ravissante jeune femme, dont la silhouette élancée aurait fait pâlir de jalousie les plus beaux top models de Miami, longeaient le bastingage à pas lents.

— Le père et la fille, sans doute, murmura Merry avant de pivoter sur elle-même et de regagner le hall d'accueil de La Luna aussi vite que ses bottines orthopédiques le lui permettaient. Rejoignez votre poste, Gordon, intima-t-elle au groom qui s'activait derrière le comptoir. De nouveaux clients viennent d'arriver.

— Bien, madame, acquiesça-t-il respectueusement.

Dès qu'il eut repris sa place sous la marquise azurée de l'hôtel, Merry se pencha vers l'ordinateur où Lissa avait l'habitude d'enregistrer les réservations et consulta le fichier.

— Kamar ibn-Asad, prince de Zohra-zbel… Jérôme et Selina Carrington, lut-elle, les yeux rivés à l'écran. Le cheik Asad va occuper un grand duplex avec terrasse au dernier étage et les Carrington, une suite dans l'aile ouest.

Après avoir vérifié que Lissa ne s'était pas cachée au fond d'une alcôve pour l'espionner, Merry sortit son téléphone magique de la poche de sa veste, puis zooma sur les annulaires gauches du séduisant Kamar et de la jolie Selina.

— Parfait ! s'exclama-t-elle en voyant qu'ils ne portaient pas d'alliance. Si j'arrive à pousser ces deux-là dans les bras l'un de l'autre, il ne me restera plus qu'un mariage à conclure et je pourrai enfin retourner en Silestie.

1.

« Si ce m'as-tu-vu reste à La Luna jusqu'au 7 août, je sens que je vais beaucoup m'amuser », pensa Selina Carrington, dont le passe-temps favori était de briser les cœurs à la chaîne.

Assis à l'autre extrémité du bar auquel elle était accoudée, l'homme qu'elle rêvait de piéger plaquait un portable dernier cri contre son oreille et parlait dans une langue étrangère qu'elle aurait été bien en peine d'identifier. Sourd au grondement ininterrompu des vagues qui déferlaient sur la grève, aveugle au magnifique diadème incrusté d'or et d'argent que dessinaient les étoiles au-dessus des flots, il jetait des ordres à son correspondant sur le ton d'un général en chef haranguant ses officiers à la veille d'une bataille.

Lorsque les musiciens de jazz qui devaient animer la soirée se mirent à accorder leurs instruments dans une horrible cacophonie, il se retourna d'un bond vers eux et leur décocha un regard meurtrier.

« Beau, arrogant et ombrageux, se dit Selina en sirotant le cocktail à la menthe qu'on lui avait servi. Que demander de plus ? »

Quand elle décidait d'épingler une nouvelle victime à son tableau de chasse, elle ne choisissait que des hommes séduisants et imbus d'eux-mêmes, car vamper de doux rêveurs, myopes et boutonneux, aurait été trop facile et trop cruel.

Et séduisant, l'inconnu qu'elle examinait à la dérobée l'était au-delà de toute imagination. Avec ses épais cheveux noirs qu'aucune brosse n'avait pu discipliner, ses yeux couleur d'obsidienne où se reflétait la lumière ambrée des projecteurs et sa bouche aux lèvres sensuelles que plissait une moue agacée, il était le charme incarné.

« Voilà exactement la proie que je cherchais ! » jubila Selina avant de vider sa coupe à grands traits et de la reposer sur le comptoir.

— Vous voulez un autre *mojito*, mademoiselle ? lui lança la barmaid, une jolie Jamaïcaine coiffée à la mode rasta.

— Oui, merci, répondit Selina dans un sourire. Comment vous appelez-vous ?

— Janis.

— Depuis combien de temps travaillez-vous à La Luna ?

— Deux ans déjà.

— Et vous vous y plaisez ?

— Enormément.

— C'est la première fois que je viens ici. Quels sports peut-on pratiquer sur l'île ?

— La natation, la planche à voile, le ski nautique, le parapente… Si vous aimez la mer et le vent, vous n'aurez que l'embarras du choix.

Janis versa un liquide sirupeux dans son shaker, puis ajouta un peu d'eau glacée et secoua le récipient au rythme syncopé des guitares.

— L'hôtel accueille des centaines de touristes chaque été, reprit-elle après avoir jeté des feuilles de menthe fraîche au fond d'une coupe en cristal. Les plus téméraires d'entre eux profitent de leurs vacances en Floride pour s'initier aux joies du surf et du Deltaplane. Les autres préfèrent lézarder sur la plage, se balader dans la palmeraie, suivre une cure de thalassothérapie ou sillonner le golfe du Mexique à bord du *Lady's Delight*, le bateau de croisière que la directrice de l'établissement met à leur disposition. Vous n'aurez donc pas de mal à trouver une activité qui…

— Vous n'avez pas bientôt fini de jacasser ?

interrompit une voix exaspérée. Il y a des heures que j'attends d'être servi.

Janis, qui ne devait pas avoir l'habitude d'être rappelée à l'ordre avec une telle brutalité, empoigna le torchon qu'elle avait glissé sous la ceinture de sa robe puis, sans se presser le moins du monde, essuya le comptoir sur lequel le sosie de George Clooney pianotait impatiemment.

« Ce type est peut-être riche à millions, se dit Selina à la vue de la somptueuse montre en or qu'exhibait sa future proie, mais il aurait grand besoin qu'on lui apprenne les bonnes manières. »

— Que désirez-vous, monsieur ? lui demanda Janis au bout de cinq minutes.

— Ne vous croyez pas obligée de me donner du « monsieur » ni de m'adresser de beaux sourires, lâcha-t-il d'un ton aigre. Contentez-vous de faire votre travail et cela suffira.

— Qu'aimeriez-vous boire, *Votre Altesse* ? se moqua la barmaid en échangeant un clin d'œil amusé avec Selina, qui dut mettre une main devant ses lèvres pour cacher son hilarité.

— Un Martini... Oh ! et puis, non, servez-moi plutôt de la vodka, répondit-il gravement, comme si le sort de la planète dépendait de son choix. Quelles marques proposez-vous ?

— Grey Goose, Absolut, Stoli, Skyy. Que préférez-vous ? L'eau-de-vie de seigle, d'orge ou de…

— Je n'en sais rien. Les seules que je ne supporte pas sont celles qui proviennent de la distillation des pommes de terre, car je déteste les tubercules.

Au bord du fou rire, Janis jeta son torchon sur le comptoir et se précipita vers une petite pièce lambrissée de bois des îles dont l'accès était interdit au public.

« Dommage que je n'aie pas le droit de la suivre ! » pensa Selina en l'entendant pouffer de l'autre côté de la cloison et en s'efforçant de garder son sérieux.

— Bonsoir, mademoiselle, lui lança alors le double de George Clooney, inconscient du mal qu'elle se donnait pour ne pas imiter la barmaid. Vous êtes arrivée à l'hôtel aujourd'hui, n'est-ce pas ?

— Oui, affirma-t-elle après s'être éclairci la voix. Comment le savez-vous ?

— Oh ! Je n'ai pas eu besoin de m'acheter une boule de cristal et un jeu de tarots pour deviner que vous n'aviez pas prévu de passer vos vacances en Floride. Il m'a suffi de vous observer.

— Seriez-vous l'héritier spirituel de ce brave Sherlock Holmes ?

— Qu'est-ce qui vous fait dire cela ?

— Votre accent. A vous écouter parler, on jurerait que vous venez de Londres ou de Cambridge.

— Bien que je ne sois pas de la même nationalité que lui, je possède les œuvres complètes de sir Arthur Conan Doyle.

— Je n'en suis pas étonnée. Vous avez autant de flair que ses héros.

— C'est en lisant leurs aventures que j'ai appris à regarder les gens autour de moi et à échafauder toutes sortes d'hypothèses.

— A quoi avez-vous deviné que mon séjour à La Luna était improvisé ?

— A votre tenue. Quand je suis passé devant les boutiques de l'hôtel il y a trois quarts d'heure, j'ai aperçu dans la vitrine de l'un des magasins une jupe et un corsage semblables à ceux que vous portez. J'en déduis donc que vous êtes arrivée par le dernier ferry et que vous avez dû acheter sur place les vêtements que vous n'aviez pas eu le temps d'empaqueter. Et comme vos cheveux sont encore humides, je suppose que vous êtes allée vous baigner au clair de lune, que vous êtes montée vous habiller dans votre chambre et que vous êtes redescendue boire un verre au bar.

— Bravo ! jeta Selina en écartant discrètement les pans de son chemisier et en s'inclinant vers le sosie de George Clooney pour lui permettre d'admirer son décolleté. Vous êtes un fin limier.

Les yeux exorbités, il sauta à bas de son siège et s'approcha de la jeune femme avec une grâce féline.

— Je suis venu en Floride parce que j'ai une affaire de la plus haute importance à traiter, lâcha-t-il d'une voix caressante, mais aucune loi ne m'interdit de joindre l'utile à l'agréable. Les personnes que je dois rencontrer à La Luna cette semaine ne m'en voudront pas si je les néglige.

— Ce sont des amis à vous ?

— Non. Je ne fréquente les agents immobiliers que par nécessité. Celui à qui j'ai donné rendez-vous m'a dit que sa petite-fille l'accompagnerait.

— De quoi a-t-elle l'air ?

— D'une godiche, probablement. Bien que je n'aie vu aucune photo d'elle, je ne serais pas étonné qu'elle soit laide comme les sept péchés capitaux.

— Est-elle mariée ou fiancée ?

— Pas que je sache.

— Peut-être alors tombera-t-elle amoureuse de vous au premier regard.

— Dans ce cas, je me débarrasserai d'elle en deux temps, trois mouvements. J'ai déjà eu à affronter ce genre de situation et je ne m'en suis pas trop mal tiré, rassurez-vous.

— Oh ! mais je n'étais pas inquiète, s'exclama Selina, juste avant que son grand-père ne franchisse le seuil du bar et ne vienne s'asseoir à côté d'elle.

Vêtu d'un polo Ralph Lauren et d'un pantalon en toile kaki, les cheveux aussi brillants que du vif-argent, il était le sexagénaire le plus séduisant de tout l'hémisphère Nord.

— Je vois que tu as déjà fait connaissance avec mon client, glissa-t-il à Selina.

— Pas vraiment, le détrompa-t-elle. Nous n'en étions qu'aux préambules.

— Permets-moi, alors, de te présenter Kamar ibn-Asad, prince de Zohra-zbel.

— Vous... vous êtes la petite-fille de M. Carrington ? bredouilla ce dernier, les yeux écarquillés de stupéfaction.

— Eh oui ! confirma-t-elle, moqueuse. Il paraît que vous envisagez d'acquérir la résidence de...

— Chut ! ne parlez pas de cela ici. On pourrait nous entendre.

— Et après ? Quel mal y a-t-il à vouloir acheter une maison ?

— Aucun, mais le dossier que vous évoquez est classé top secret.

— Quand vous hurliez dans le micro de votre portable tout à l'heure, vous n'aviez pas l'air de vous méfier des oreilles indiscrètes.

— Personne en Floride ne connaît le dialecte de mon peuple. Je n'ai donc pas jugé utile de baisser la voix.

« Le dialecte de son peuple ! releva Selina, agacée. Pour qui se prend-il, cet arrogant ? Pour Rudolph Valentino dans *Le Cheik* ? »

Voyant la colère se dessiner sur le visage de sa petite-fille, Jérôme Carrington déclara, un sourire conciliant aux lèvres :

— Selina, comme je le disais précédemment, permets-moi de te présenter Kamar ibn-Asad, prince de Zohra-zbel. Comme tu le sais déjà, il aimerait acquérir une maison à Washington et m'a chargé de la transaction.

— Enchantée de faire votre connaissance, monsieur Asad, jeta Selina de mauvaise grâce.

— Ravi de vous rencontrer, mademoiselle

Carrington, répondit Kamar en serrant brièvement la main qu'elle lui tendait.

« Vu la vitesse à laquelle il vient d'enfouir ses doigts dans la poche de sa veste, on croirait que j'ai la typhoïde et qu'il a peur de l'attraper », pensa-t-elle, ulcérée.

— Voilà qui est mieux ! s'exclama Jérôme. Son Altesse et toi formez un si beau couple que j'aurais trouvé dommage de vous laisser fourbir vos armes chacun de votre côté.

« Un si beau couple ! releva Selina. Serait-ce pour me pousser dans les bras d'un richissime play-boy et exercer une fois encore ses talents de marieur que grand-père m'a suppliée de l'accompagner en Floride ? »

A cette idée, elle sentit une froide colère la gagner. Depuis qu'un homme trop séduisant avait gâché sa vie, elle haïssait les don Juan et aurait préféré mourir plutôt que d'en épouser un, fût-il l'héritier d'une mine de diamants.

— Votre vodka, *Majesté*, ironisa Janis en sortant de la petite pièce où elle était allée cacher son hilarité et en posant devant Kamar le verre qu'elle tenait à la main. Que prendrez-vous, monsieur ? demanda-t-elle ensuite à Jérôme.

— Un double scotch, répondit celui-ci. Avez-vous du pur malt ?

— Oui. Mes clients sont tous de fins connaisseurs.

— Et vous ?

— Oh ! moi, je me suis instruite à leur contact. Vous voulez que je vous montre l'étendue de mon savoir ?

— Mais comment donc !

Pendant que la barmaid énumérait les marques de whisky qu'affectionnaient les habitués des pubs écossais, Kamar tourna la tête vers Selina et sentit une flambée de désir accélérer son pouls. Quand elle était venue s'accouder au comptoir une demi-heure plus tôt, elle lui avait paru tellement jolie, avec ses grands yeux bleus frangés de longs cils, son teint de perle et les boucles cuivrées qui nimbaient son visage d'un halo de feu, qu'il s'était cru le jouet d'une illusion.

A la différence des beautés voilées de Zohrazbel, que la vue d'un homme effarouchait, Selina Carrington, elle, s'offrait insolemment aux regards masculins. Vêtue d'un chemisier en dentelle arachnéenne qui exaltait sa féminité et d'une jupe de soie rouge dont la ceinture étranglait sa taille de sylphide, elle semblait avoir réinventé les mots « grâce » et « séduction ».

— Toutes les Américaines que je connais sont des femmes actives qui ne supportent pas le moindre contretemps, déclara-t-il, des envies de caresses au bout des doigts. C'est très aimable à vous de vous être libérée pour venir en Floride.

— Mon grand-père ne m'a pas laissé le choix. Il m'a dit que j'avais besoin de me reposer et m'a obligée à quitter mon bureau.

— Où travaillez-vous ?

— Dans une agence de publicité qui s'appelle VIP. Au début de l'été, notre meilleur client a décidé de lancer un nouveau produit sur le marché et mon patron m'a confié la responsabilité de la campagne.

— De quel produit s'agit-il ?

— De corn-flakes.

— Comment allez-vous inciter les consommateurs à y goûter ? demanda Kamar avec le plus vif intérêt.

— Grâce à des spots qui seront diffusés matin et soir à la télévision. J'ai demandé à deux de mes collègues de dessiner des flocons de maïs habillés de salopettes rouges et de leur faire danser un boogie-woogie endiablé dans des assiettes en porcelaine.

— Le film sera certainement très drôle, mais qui intéressera-t-il, à part les enfants ?

— Les adultes soucieux de leur bien-être. Les céréales Corny Crunch sont riches en fibres et permettent de réduire le taux de cholestérol. La prochaine fois que vous irez faire vos courses, achetez-en une dizaine de boîtes. A votre âge, on n'est jamais trop prudent.

— A mon âge ! répéta Kamar, indigné. Puisque vous avez l'air de me prendre pour un vieillard à l'agonie, sachez que j'ai tout juste vingt-huit ans et que je me porte comme un charme.

— Plus tôt on se préoccupe de sa santé, plus on a de chances de rester longtemps en pleine forme, répondit Selina avec un sourire de biais.

— Merci du conseil. Si votre campagne ne tombe pas à l'eau avant la fin de l'été et que vos corn-flakes sautillants envahissent les gondoles des supermarchés, je ne manquerai pas d'y goûter.

— Oh ! ma petite-fille a un tel talent que son patron ne risque pas de lui retirer sa confiance, déclara Jérôme entre deux gorgées de whisky. Je suis prêt à parier que les téléspectateurs trouveront ses spots très amusants et qu'elle deviendra la reine du marketing.

— Elle en a déjà l'arrogance et l'exaltation, riposta Kamar d'un ton corrosif.

— Bien envoyé ! reconnut Selina. Vu l'accueil que je vous ai réservé, il est normal que vous vous vengiez.

— Tout à fait normal, renchérit Jérôme en dardant sur elle un regard tendrement réprobateur. La règle d'or d'un agent immobilier est de traiter ses clients comme des rois.

— Puisque ce « détail » t'est sorti de la tête, grand-père, protesta Selina, je te rappelle que je suis rédactrice publicitaire et qu'aucun contrat ne me lie à M. Asad.

— Cela ne te dispense pas d'être aimable avec lui.

— Tu as raison. Je n'aurais pas dû me montrer aussi agressive.

Un sourire découvrit les dents très blanches de Kamar.

— Quand pourrons-nous passer aux choses sérieuses ? demanda-t-il à Jérôme.

— Demain matin, répondit ce dernier. Retrouvons-nous dans le hall d'accueil de l'hôtel à

9 heures et nous irons prendre notre petit déjeuner ensemble.

Puis, se tournant vers Janis, il ajouta :

— Combien y a-t-il de restaurants à La Luna ?

— Quatre, l'informa-t-elle. Plus deux snack-bars.

— Lequel nous conseillez-vous ?

— Le Greenhouse Café. Il est situé à l'écart de la piscine afin que les clients ne soient pas dérangés par les cris des enfants, et les tables sont disposées en rond à l'intérieur d'une serre où on peut admirer des centaines d'arbustes tropicaux.

— D'une serre ! répéta Kamar avec une moue dégoûtée. Je ne me vois pas manger des toasts et boire du thé au milieu d'une forêt de végétaux.

— Pourquoi ? lui lança malicieusement Selina. Vous craignez que le chef ne cultive des tubercules sous les vitres ?

« Quelle calamité, cette fille ! fulmina Kamar en surprenant le clin d'œil que la barmaid et elle échangeaient. Cela fait moins d'une heure que je la connais et j'ai déjà envie de l'étrangler. »

— Vous êtes allergique aux ignames et aux topinambours ? s'étonna Jérôme.

— Pas du tout ! prétendit Kamar. Je serai ravi

de vous retrouver au Greenhouse Café demain matin et d'y déjeuner en votre compagnie.

— Voulez-vous que je téléphone à la réceptionniste ? lui proposa Janis.

— Oui, s'il vous plaît. Réservez une table au nom de Kamar ibn-Asad.

— Très bien, monsieur. Je m'en occupe.

— Merci, jeta Kamar avant de pivoter d'un bloc sur ses talons et de s'éloigner, le dos droit comme un i.

— Quelle mouche l'a piqué ? demanda Jérôme.

— Un doryphore peut-être, suggéra Selina. Il paraît que ces charmants insectes raffolent des pommes de terre.

2.

« Stabilité », « sécurité » et « organisation » étaient les trois maîtres mots qui régissaient la vie de Selina. Avant de ranger ses chaussures deux par deux au fond de sa penderie et de glisser un embauchoir sous les empeignes pour éviter que le cuir ne se déforme, elle les lustrait toujours avec un soin méticuleux. Quant aux strings, aux balconnets et aux caracos qu'elle achetait au rayon lingerie de sa boutique préférée, elle les empilait délicatement dans les tiroirs d'une commode que parfumaient des sachets de lavande et des pots-pourris. Jamais il ne lui serait venu à l'idée de porter des socquettes dépareillées ni d'enfiler un chemisier mal repassé.

Son grand-père, en revanche, adorait semer la pagaille autour de lui et qualifiait de « ravissant fouillis artistique » l'indescriptible capharnaüm dans lequel il se complaisait.

— Vous n'êtes pas près de me licencier, monsieur Carrington, lui disait sa secrétaire chaque fois qu'elle pénétrait dans son bureau et qu'elle apercevait la montagne de vieux papiers qui encombrait ses étagères. Si je n'étais pas là pour ranger, vous ne sauriez même pas où se trouve votre carnet de chèques.

— Le désordre, Mildred, c'est la vie, répondait-il invariablement.

Et alors que Selina détestait l'imprévu, Jérôme, lui, raffolait des surprises. Depuis qu'elle avait quitté sa mère à l'âge de quinze ans et qu'il l'avait recueillie, il n'avait cessé de lui offrir des vacances improvisées aux quatre coins du monde. Un jour, en plein milieu de l'hiver, il l'avait emmenée à Rome et lui avait fait visiter tous les musées de la ville. Six mois plus tard, il avait réservé deux places sur un vol de nuit à destination de Paris et était allé courir avec elle les magasins des Champs-Elysées.

Une fois devenue adulte, elle avait essayé de lui expliquer qu'elle tenait trop à sa tranquillité pour laisser qui que ce soit la troubler, mais il n'avait rien voulu entendre et s'était obstiné à lui donner ce qu'il appelait pompeusement des « leçons de bonheur ».

— Quand il a poussé la porte de mon bureau ce matin et qu'il m'a demandé de l'accompagner en Floride sous prétexte que j'étais fatiguée et que j'avais besoin de me reposer, j'aurais dû me douter qu'il me racontait des bobards, maugréa Selina en arpentant la chambre moquettée de rose pâle qu'elle occupait au dernier étage de La Luna.

Dans l'avion qui reliait Washington à Miami, il s'était excusé de l'avoir « un peu » bousculée et lui avait confié qu'il avait rendez-vous avec un riche étranger sur une petite île au sud-ouest de Locumbia.

— Pourquoi m'as-tu amenée ici ? interrogea Selina après avoir enfilé un peignoir de bain et rejoint son grand-père dans le salon de leur suite.

— Pour mon plaisir et pour ton bien, répliqua-t-il, les yeux rivés aux gros titres du *Washington Post*. Comme je n'aime pas voyager seul et que cela m'ennuyait de partir loin de toi, j'ai décidé de passer te chercher à ton bureau ce matin et de t'offrir les vacances que tu méritais. Depuis que ton patron t'a chargée de la campagne Corny Crunch, tu travailles tellement dur que, si je n'avais pas volé à ton secours, tu aurais fini par te tuer à la tâche.

— Ton client n'a pas eu l'air ravi de me rencontrer.

Et vu son goût du mystère, il aurait sans doute préféré que tu viennes le retrouver en secret.

— Tu sais, ce n'est pas étonnant qu'il se méfie des indiscrétions ! Sa famille lui a demandé d'ouvrir une ambassade à Washington et, pour des raisons de sécurité, il ne tient pas à ce que l'adresse personnelle du futur représentant de Zohra-zbel aux Etats-Unis soit connue du public.

— Kamar ibn-Asad a réellement droit au titre d'altesse royale ?

— Oui. Son frère et lui, qui ont tous deux fait leurs études à Cambridge, sont des princes de sang.

— Je croyais que les cheiks dormaient sous des tentes et qu'ils se déplaçaient à dos de chameau ! lança Selina avec un petit rire.

— Tu retardes d'un siècle, ma chérie. A notre époque, on peut fort bien vivre au milieu du désert et être à la pointe du progrès.

— Où est situé Zohra-zbel ?

— En Afrique du Nord. Ce pays est l'un des plus gros producteurs de diamants du monde.

— Tu as de la chance que M. Asad se soit adressé à toi.

— A qui le dis-tu ! Si j'arrive à trouver une

propriété qui lui plaise, je toucherai une commission de quatre-vingt mille dollars.

— C'est parce que tu as eu peur de perdre sa clientèle que tu m'as reproché mon attitude envers lui ?

— Avoue que tu ne lui as pas réservé un accueil très chaleureux !

— Ce qui était stupide, je l'admets.

— Pourquoi as-tu réagi de cette façon ?

— A cause de la manière dont Kamar ibn-Asad a traité Janis, la barmaid. Au lieu de la prier gentiment de le servir, il lui a coupé la parole avec brutalité et cela m'a agacée.

— Quand tu l'as accusé d'être allergique aux tubercules que le chef du Greenhouse Café pouvait cultiver sous les vitres du restaurant, je n'ai pas compris où tu voulais en venir.

— Si tu l'avais entendu expliquer d'un petit air supérieur qu'il ne supportait pas la vodka issue de la distillation des pommes de terre, tu ne serais pas étonné que je me sois moquée de lui.

— Chacun a le droit de boire ce qui lui plaît.

— Oui. Mais lorsqu'on commande un verre à une barmaid, on n'est pas obligé de se montrer dédaigneux. Malgré les efforts qu'il a faits ensuite pour essayer de se racheter, ton client est un mufle et un arrogant qui a une trop bonne opinion de lui-même.

— Peut-être se sent-il mal aimé, tout simplement, répondit Jérôme en haussant les épaules. Les gens qui ont été privés d'affection dans leur enfance sont souvent agressifs et hautains à l'âge adulte.

— Depuis quand t'intéresses-tu à la psychologie analytique ?

— Depuis que tu as débarqué chez moi l'été de tes quinze ans. En étudiant tes réactions, j'ai compris beaucoup de choses.

— Ce n'est pas parce que j'ai osé remettre ce bêcheur de Kamar ibn-Asad à sa place que tu dois aller chercher dans mon passé les raisons de mon attitude envers lui. Grâce à toi, grand-père, et à l'amour que tu me donnes, je suis quelqu'un de très équilibré.

— Comment se fait-il que tu ne sois ni mariée ni fiancée ?

— A t'écouter, on dirait que je suis une vieille fille frustrée et que je reste seule entre les quatre murs de mon studio à longueur de week-end ! Tu as oublié que je sors en boîte tous les vendredis soir et que je change de cavalier chaque fois ?

— Non. Je sais bien que tu adores séduire les

hommes et leur briser le cœur, mais quand te décideras-tu à en choisir un et à l'épouser ?

— Quand j'aurai trouvé le mari idéal.

— Tu es tellement exigeante que ce n'est pas pour demain, répondit Jérôme, une pointe de regret dans la voix. Tu ne crois pas que tu devrais oublier Donald et songer à l'avenir ?

— S'il était facile de le rayer de ma mémoire et de pardonner à ma mère, la psychothérapie que j'ai suivie pendant sept ans et les innombrables séances de yoga, de méditation transcendantale et de sophrologie auxquelles j'ai participé m'auraient déjà permis de tirer un trait sur le passé.

— Tant que tu refuseras de tourner la page, cette ordure de Donald pourra se vanter d'avoir gâché ta vie. Après le mal qu'il t'a fait, tu tiens à lui laisser ce plaisir ?

— Certainement pas ! J'aimerais mieux le tuer que de le regarder fanfaronner, s'énerva Selina.

— Dans ce cas, ne pense plus à lui, je t'en supplie. Je ne serai pas toujours là et cela me soulagerait de te savoir heureuse avant de partir.

— Où comptes-tu aller ? A Kalamazoo, au fin fond du Michigan ?

— Ne plaisante pas, Sellie. Je suis sérieux.

— Moi aussi, grand-père, mais je ne veux pas que tu me quittes.

— Quand mon heure sera venue, il faudra pourtant bien qu'on se dise au revoir. Ce dont tu as besoin, c'est d'un homme de ton âge, pas d'un vieux monsieur qui a déjà un pied dans la tombe et l'autre sur une peau de banane.

— Mince et sportif comme tu l'es, je parie que tu vivras jusqu'à cent vingt ans et que les autres agents immobiliers de Washington auront déjà passé la main depuis belle lurette le jour où tu te décideras à prendre ta retraite.

— Non, ma chérie, je ne suis pas éternel. Alors j'aimerais que tu me promettes deux choses.

— Lesquelles ?

— Oublier Donald et chercher l'âme sœur.

— J'essaierais.

— Tu me le jures ?

— Croix de bois, croix de fer…

— Et en attendant de dénicher l'oiseau rare et de me donner une ribambelle d'arrière-petits-enfants, tâche d'être gentille avec Kamar ibn-Asad.

— Il est tellement imbu de lui-même que ce ne sera pas facile.

— Tu sais comment les chroniqueurs de *People* l'ont surnommé ? « Le Play-boy du désert » !

— Il faut reconnaître qu'il a de l'allure. Celles qui trouvent George Clooney séduisant doivent se pâmer d'admiration devant lui.

— Et toi, serais-tu capable de succomber à son charme ?

— Peut-être.

— Transforme ce « peut-être » en un « oui » catégorique et je serai aux anges.

— Pourquoi tiens-tu à ce que je tombe dans les bras de ton client ?

— Parce que je voudrais te voir heureuse, je viens de te l'expliquer.

— Heureuse, je le suis déjà. J'ai un travail qui me plaît, un joli studio au cœur de Washington et un adorable grand-père. Que pourrais-je désirer de plus ?

— Un mari qui t'aime.

— Ce n'est pas à La Luna que je vais rencontrer le candidat idéal.

— Mais pendant notre séjour en Floride, rien ne t'empêche de t'amuser.

— Avec Kamar ibn-Asad, par exemple ?

— Puisqu'il est jeune, beau, riche et libre comme l'air, quel intérêt aurais-tu à jeter ton dévolu sur un autre que lui ?

— Aucun.

— Et moi, j'aurais tout à perdre.

— Tu crois que, si je continue à mener la vie dure au prince de Zohra-zbel, il aura le toupet de te retirer sa clientèle ?

— Oui. Il est tellement susceptible !

Devant le regard empli d'inquiétude que Jérôme tournait vers elle, Selina sentit fléchir sa résolution.

— N'aie crainte, grand-père, dit-elle. Pour te faire plaisir, j'essaierai de ne plus vexer le play-boy du désert.

3.

— Pourriez-vous m'aider, madame ?

Lilith Peterson, alias Lissa Bessart Piers, leva les yeux du registre qu'elle était en train de feuilleter et examina de la tête aux pieds la jeune femme qui venait de l'interpeller. Vêtue d'un tailleur-pantalon gris anthracite qui contrastait avec les shorts, les bermudas et les robes bain de soleil que portaient d'habitude les clientes de La Luna, ses cheveux bruns serrés en un minuscule chignon bizarrement perché au sommet de son crâne, elle semblait tout droit sortie d'un bureau de Wall Street.

— Bien sûr ! répondit Lissa après avoir défroissé du plat de la main son uniforme de réceptionniste. Que puis-je faire pour vous ?

— Je cherche quelqu'un qui est descendu hier soir dans cet hôtel.

— Avez-vous réservé une chambre ou êtes-vous de passage, mademoiselle…

— …Hunter. Marta Hunter.

— Avez-vous réservé une chambre, mademoiselle Hunter ?

— Oui. Quand je suis arrivée par le premier ferry ce matin, vous n'étiez pas encore à votre poste, mais l'employé qui m'a accueillie m'a donné la suite numéro 27, au deuxième étage.

— Comment s'appelle la personne que vous aimeriez rencontrer ?

— Le prince Kamar ibn-Asad. Savez-vous où je pourrais le trouver ?

— Au Greenhouse Café. Il y prend son petit déjeuner.

— Merci. Si vous voulez bien m'indiquer le chemin, je vais aller le saluer.

« Quelle splendeur ! » s'extasia Selina lorsqu'elle pénétra au bras de son grand-père dans le restaurant que Janis leur avait conseillé.

Avec ses tours élancées et ses dômes vitrés que le soleil criblait d'étincelles irisées, il ressemblait à ces châteaux féeriques qu'aimaient dessiner les illustrateurs de livres d'enfants. Des gerbes, des guirlandes et des bataillons de fleurs tropicales à l'exubérance insolente jaillissaient çà et là sous la verrière et composaient de somptueux brasiers où chantait toute la gamme des rouges et des violets. Des bouquets d'ombelles aux reflets d'améthyste y côtoyaient, dans un joyeux enchevêtrement qu'aucun jardinier n'aurait eu le mauvais goût de discipliner, de longues flammèches amarante et des étoiles ourlées de feu. Dévalant de gros rochers veinés d'ocre et de brun, une cascade mêlait ses eaux bouillonnantes à celles, limpides, d'un gigantesque bassin au milieu duquel se dressait une plateforme émaillée d'orchidées.

« Si j'avais su que je devrais jouer les équilibristes, j'aurais laissé mes escarpins à talons aiguilles au fond de ma penderie et j'aurais mis des baskets », se dit Selina en franchissant le petit pont moussu qui tanguait au-dessus des flots et en s'agrippant à l'épaule de son grand-père pour ne pas déraper.

— Le prince est déjà arrivé, lui glissa-t-il à l'oreille après avoir quitté la passerelle. Regarde, il lit le même quotidien que moi.

Assis à l'une des tables enjuponnées de lin blanc qui étaient disposées au centre de l'îlot, son torse d'athlète moulé dans une chemise vert émeraude dont il avait relevé les manches jusqu'aux coudes, Kamar feuilletait d'un doigt nonchalant le dernier numéro du *Washington Post*.

« Si ce bellâtre était un peu moins prétentieux, je pourrais presque le trouver attirant », pensa Selina, irritée de sentir le rythme de son cœur s'accélérer.

— Bonjour, monsieur Carrington, bonjour, mademoiselle, lança-t-il à Jérôme et à la jeune femme dès qu'il les aperçut. Ravi de vous revoir.

Puis, bondissant sur ses pieds, il tira deux chaises et aida ses hôtes à y prendre place.

— Dommage que je n'aime pas les petits déjeuners trop copieux, car il y a un tel choix que je me serais régalée, jeta Selina, après avoir saisi le menu qu'il lui offrait et balayé du regard la liste des plats que le chef du Greenhouse Café proposait à ses clients. Etant donné que je ne suis pas allergique aux tubercules, j'aurais commandé des pommes de terre en robe des champs.

— Ah ! vous n'allez pas remettre cela, s'indigna Kamar. Combien de temps va-t-il vous falloir pour oublier cette histoire de vodka ?

— Des années, répondit-elle en évitant les

coups de pied qu'essayait de lui décocher son grand-père. Vous n'êtes pas heureux de savoir que notre première rencontre restera à jamais gravée dans ma mémoire ?

— Non. J'aurais préféré que les choses se passent différemment.

— A qui la faute si vous vous êtes mal conduit envers la barmaid ?

— A moi. Et je ne suis pas fier de l'avoir rabrouée, croyez-le.

— La prochaine fois que vous la verrez, présentez-lui des excuses et l'incident sera clos.

— Je n'y manquerai pas.

— Avez-vous choisi ce que vous alliez commander ?

— Pas encore. Je voulais vous laisser la priorité.

— C'est très gentil à vous, mais je n'ai pas faim.

— Pourquoi n'aimez-vous pas les petits déjeuners trop copieux ? demanda Kamar.

— Parce qu'ils sont indigestes. En dehors des fruits, tout ce que les gens avalent le matin leur reste sur l'estomac.

— Sauf les céréales Corny Crunch, je

suppose, répliqua-t-il avec humour. Y en a-t-il au menu ?

— Probablement pas. Tant que la campagne publicitaire dont je m'occupe n'aura pas démarré, elles ne seront distribuées que dans les grandes surfaces.

— Quand je me suis rendu à Tokyo l'an dernier, on m'a offert un délicieux potage aux nids d'hirondelles à mon réveil.

— Il faudra que je m'achète un livre de recettes et que je me mette à la cuisine extrême-orientale.

— Je vous le conseille. Vous qui avez peur des repas hypercaloriques, vous serez rassurée : elle est légère et savoureuse.

— Qu'êtes-vous allé faire au Japon, si ce n'est pas indiscret ?

— La même chose qu'aux Etats-Unis : ouvrir une ambassade au centre de la capitale, acheter les maisons des futurs diplomates, essayer de trouver des débouchés pour les diamants de Zohra-zbel et...

— Puis-je prendre votre commande ? coupa un jeune homme tout de blanc vêtu.

— Oui, acquiesça Jérôme. Apportez-moi des

œufs au bacon, un bol de chocolat et quelques toasts beurrés.

— Et vous, mademoiselle, que désirez-vous ? demanda le serveur à Selina.

— Une compote de fruits rouges et une tasse de moka, répondit-elle.

— Personnellement, déclara Kamar, je prendrai du thé.

— Au jasmin, à la menthe ou au citron ?

— A la menthe.

— Très bien, monsieur, rétorqua l'employé du Greenhouse Café avant de noircir la première page de son bloc-notes et de tourner les talons.

— En attendant de déjeuner, voulez-vous consulter la liste des propriétés que j'ai sélectionnées et me faire part de vos commentaires ? lança Jérôme à Kamar.

— Avec joie ! s'exclama ce dernier.

Impatient de remplir la mission dont son père l'avait chargé, il étala sur la nappe les feuillets dactylographiés que l'agent immobilier avait sortis de son attaché-case et il allait y jeter un œil quand une jeune femme brune au visage émacié se rua vers lui, un magnétophone à la main.

— Je me trouve en face du cheik Kamar ibn-

Asad, l'émissaire de Zohra-zbel, lâcha-t-elle dans le micro. Est-ce pour des raisons professionnelles que vous êtes venu en Floride, prince Asad ?

— Désolé, mais j'ai horreur de me confier aux gens que je ne connais pas, grommela Kamar en rassemblant les documents que Jérôme lui avait donnés et en les dissimulant sous une serviette de table.

— Permettez-moi de me présenter, répliqua son interlocutrice. Je m'appelle Marta Hunter et je suis journaliste au *National Devourer.*

— Qui vous a dit que j'étais descendu à La Luna, mademoiselle Hunter ?

— Quelqu'un de très bien informé.

— Posez à cette personne toutes les questions qui vous trottent par la tête et je suis certain qu'elle se fera un plaisir d'y répondre.

— Non, c'est vous et vous seul que je souhaite interroger. Mes lecteurs s'intéressent beaucoup à vos petites manigances et ont le droit de savoir si vous êtes venu en Floride pour asseoir votre réputation de don Juan ou pour essayer de déstabiliser le marché mondial du diamant.

— Contrairement à ce que vous insinuez, il n'est pas dans mes habitudes de tramer des complots. Je me suis juste accordé deux semaines de vacances sur cette île paradisiaque dont m'avaient parlé mes amis ici présents et j'aimerais pouvoir bavarder en paix avec eux.

— Qui êtes-vous, mademoiselle ? demanda Marta Hunter à Selina.

— Une cliente de l'hôtel qui a hâte de déjeuner, rétorqua celle-ci avant de lever la main vers le magnétophone de la journaliste et d'éteindre l'appareil.

— Inutile de me raconter des histoires ! Je ne suis pas née de la dernière pluie et je sens bien que vous me cachez quelque chose.

— Moi, tout ce que je sens, c'est l'odeur du moka, riposta Selina en voyant le serveur se faufiler entre les tables, les bras encombrés d'un plateau.

— Dois-je aller chercher une autre tasse ? questionna-t-il après avoir posé sur la table les assiettes en porcelaine, les bols, les couverts et les mazagrans qu'il avait rapportés de la cuisine.

— Non, maugréa Kamar. Rappelez plutôt à Mlle Hunter que l'accès du Greenhouse Café est interdit aux curieux et débarrassez-nous d'elle.

— Seuls les clients de La Luna sont autorisés à pénétrer dans ce restaurant, lança l'employé à

Marta. Si vous n'avez pas réservé de chambre, je vais donc être obligé de vous faire expulser.

— Au lieu de me menacer, jeune homme, allez donc consulter le registre et vous y trouverez mon nom, déclara-t-elle en retirant de sa poche une carte magnétique ornée du logo de l'hôtel.

— A quoi bon nier l'évidence, mes enfants ? jeta Jérôme avec une telle lueur de malice au fond des yeux que Selina s'attendit au pire. Puisque Mlle Hunter nous a suivis en Floride, il est inutile de lui cacher la vérité.

— Quelle vérité ? s'écria Marta après avoir rallumé son magnétophone.

— Ma petite-fille et le cheik Asad, qui ont correspondu par e-mail pendant des semaines, ont décidé de se marier. Mais comme les négociations entre les deux familles sont très délicates, vous comprenez bien qu'il serait prématuré de divulguer la nouvelle dès aujourd'hui. Si vous acceptez de vous taire jusqu'à ce que la date des noces soit fixée, vous aurez droit à une interview exclusive le lendemain de la cérémonie.

« Moi, épouser cette insolente de Selina Carrington qui n'arrête pas de me narguer ? Plutôt mourir ! » riposta mentalement Kamar, au comble de la stupeur et de l'indignation. Quand il accepterait de fonder un foyer, ce serait pour nouer une alliance stratégique avec un autre royaume et pour offrir au peuple de Zohra-zbel une princesse digne de ce nom.

— Qui me dit que vous tiendrez parole ? demanda Marta à Jérôme. A moins que vous ne me donniez de sérieuses garanties, je ne peux pas vous promettre de ne révéler à personne ce que vous m'avez confié.

— Quittez La Luna et fichez-nous la paix ! jeta Kamar en empoignant les feuilles qu'il avait cachées sous sa serviette et en bondissant de son siège. Venez dans mon duplex, intima-t-il à Selina. Nous y serons à l'abri des…

— Ah ! vous occupez l'appartement qui est situé au dernier étage de l'hôtel ? coupa Marta. Je l'ignorais.

De crainte de laisser échapper d'autres informations, Kamar entraîna Jérôme et Selina hors du Greenhouse Café, puis se retourna vers eux, ivre de colère.

— Qu'est-ce qui vous a pris d'inventer cette histoire de mariage, monsieur Carrington ? lâcha-t-il entre ses dents serrées.

— Ne parlez pas à mon grand-père sur ce ton ! s'indigna Selina. S'il a menti à Mlle Hunter, c'est sans doute parce qu'il avait de bonnes raisons de le faire.

— J'aimerais bien qu'il nous dise lesquelles.

— Pas ici, et pas maintenant, rétorqua Jérôme. Trouvez un endroit où nous pourrons bavarder sans risque d'être dérangés et je vous expliquerai tout.

4.

— Quand Jérôme, Selina et moi serons au milieu du golfe, Marta Hunter pourra toujours tendre le micro de son magnétophone vers le large, elle n'enregistrera que le bruit des vagues, bougonna Kamar en gravissant l'étroite passerelle qui reliait le quai au petit bateau de plaisance que la directrice de La Luna avait mis à sa disposition.

Lorsqu'il avait dit à Merry Montrose qu'il voulait offrir une promenade en mer aux Carrington, elle avait eu l'air encore plus heureuse que s'il s'était engagé à approvisionner gratuitement la joaillerie de l'hôtel pendant des années. Un sourire épanoui aux lèvres, elle lui avait conseillé de louer le *Golden Star*, un yacht de quatorze mètres de long qui, en dehors du poste de pilotage et des locaux techniques, comprenait trois cabines, une kitchenette et un vaste pont.

De peur que les membres de l'équipage n'attrapent au vol des bribes de la conversation ultrasecrète qu'il allait avoir avec son agent immobilier, Kamar leur avait donné une journée de congé et n'avait gardé à son service que le commandant de bord.

— Pourvu que l'annonce de mon prétendu mariage ne soit pas publiée dans les colonnes du *National Devourer* à la fin de la semaine, car si mon père a vent de cette histoire, il me passera un de ces savons ! maugréa-t-il en arpentant le pont du bateau.

Quand les chroniqueurs de *People* l'avaient surnommé « le Play-boy du désert » à cause de ses liaisons tumultueuses avec des actrices d'Hollywood, le roi de Zohra-zbel lui avait reproché de salir la réputation des Asad et l'avait menacé de l'envoyer croupir dans un lointain consulat à la première incartade.

— Si Jérôme Carrington croit que je vais tomber amoureux de sa petite-fille et risquer l'exil à perpétuité, il se fait des illusions, grommela Kamar avant de s'accouder au bastingage du *Golden Star*, de balayer le quai des yeux… et de sentir son cœur s'affoler.

Vêtue d'un Bikini vert tilleul et d'une tunique au crochet qui lui couvrait à peine les hanches, ses boucles cuivrées dissimulées sous un chapeau de toile à large bord, Selina longeait le yacht au bras de son grand-père, belle à damner un saint.

Après avoir franchi gracieusement la passerelle métallique que Kamar avait lui-même empruntée cinq minutes plus tôt, elle le salua d'un bref signe de tête, puis s'assit sur l'un des transats alignés à la proue du bateau et attendit que le commandant eût largué les amarres pour extirper un flacon translucide du fourre-tout qu'elle portait en bandoulière.

« Regarde ailleurs, imbécile ! s'admonesta Kamar lorsqu'elle laissa tomba quelques gouttes d'huile solaire sur ses jambes fuselées et qu'il éprouva une envie irrésistible de lui voler un baiser. Au lieu de te mettre à fantasmer, pense à l'honneur de ta famille et au bureau sinistre où tu iras moisir si tu t'avises une fois encore de céder à tes pulsions. »

Au prix d'un violent effort, il détourna les yeux du charmant spectacle que lui offrait Selina et allait s'accouder de nouveau au bastingage quand il vit Marta Hunter traverser le quai au pas de course, un appareil photo à la main.

— Cette enquiquineuse ne nous fichera donc jamais la paix ! s'exclama-t-il en écartant les bras pour essayer de faire écran entre la journaliste et ses hôtes.

Malgré le peu de confiance et de sympathie que lui inspiraient les Carrington, il ne supporterait pas que leur nom s'étale à la une d'un magazine à scandale tel que le *National Devourer.*

— Quel fardeau d'être riche et célèbre ! ironisa Selina avant de retirer sa tunique avec une grâce nonchalante et de venir rejoindre Kamar le long de la rambarde. Depuis qu'on vous a décerné le titre ronflant de « Play-boy du désert », vous devez être la proie des paparazzi.

— Si votre grand-père n'avait pas piqué la curiosité de Mlle Hunter ce matin, elle ne serait pas en train de nous mitrailler, riposta-t-il d'un ton revêche.

— Descendons voir ce qu'il y a de bon dans la cuisine et elle ne pourra plus nous photographier.

— Vous avez faim ?

— Oui. Au cas où vous l'auriez oublié, je vous rappelle que vous m'avez forcée à quitter le Greenhouse Café sans me laisser le temps de goûter au moka et à la compote de fruits rouges que j'avais commandés.

— Croyez bien que je suis désolé de vous avoir

obligée à sauter un repas, mais, vu les circonstances, je n'ai pas eu le choix.

— Inutile de vous excuser ! Vous êtes déjà pardonné.

— Quelle indulgence, tout à coup ! s'exclama Kamar non sans ironie. Quelle magnanimité ! Serait-ce l'air marin qui vous monte à la tête ?

— Allez savoir !

Brusquement déridé, Kamar entraîna Selina vers la kitchenette aux cloisons lambrissées de teck qui séparait le carré des locaux techniques et la regarda se pencher vers le minibar que les membres d'équipage avaient pris soin de remplir avant de descendre à terre.

« J'aurais mieux fait de rester sur le pont, se dit-il en effleurant des yeux les épaules dénudées de la jeune femme et en résistant de justesse à l'envie qui lui venait d'y planter un baiser. Là-haut, au moins, nous n'étions pas serrés comme des sardines. »

— Il y a du thé glacé, de l'eau gazeuse, du vin blanc et plusieurs sortes de jus de fruits, annonça-t-elle. Qu'aimeriez-vous que je vous serve ?

— De l'eau gazeuse, jeta-t-il, la gorge sèche. Le soleil tape tellement aujourd'hui qu'on a intérêt à boire si on ne tient pas à se déshydrater.

— Mon grand-père, lui, préfère le thé glacé. Quant à moi, je vais prendre une orangeade.

Voyant Selina plonger la tête dans le réfrigérateur, Kamar s'inclina pour l'aider à vider les clayettes, mais, au moment où il allait lui prendre des mains le litre de Perrier qu'elle avait empoigné, elle voulut se redresser et le heurta de plein fouet.

— Aïe ! s'écria-t-elle lorsque la bouteille lui échappa des doigts et s'écrasa sur son pied.

— Vous vous êtes fait mal ? lui demanda-t-il, inquiet.

— Pas trop, non. J'ai de la chance que le verre n'ait pas volé en éclats.

— Laissez-moi quand même vous examiner.

— Ce n'est pas la peine. Je ne suis pas blessée.

Indifférent aux protestations de la jeune femme, Kamar la souleva de terre comme si elle n'avait pas pesé plus lourd qu'un fétu de paille puis, avec une infinie délicatesse, la posa sur le plan de travail recouvert de céramique granitée qui occupait tout un angle de la kitchenette et lui palpa un à un les orteils.

Laqués d'orange vif, joliment bombés, les ongles de Selina ressemblaient aux fruits savoureux que les marchands ambulants vendaient dans les rues de Zohra-zbel lorsqu'il était enfant.

Enivré par l'odeur d'huile solaire qui lui flattait les narines, incapable d'ordonner ses pensées, il baissa la tête jusqu'à effleurer de son haleine brûlante le talon de Selina et lui embrassa le pied.

— Excusez-moi, je… je ne sais pas ce qui m'a pris, bredouilla-t-il avant de relever le front, d'extirper deux canettes du minibar et de quitter la cuisine.

Le corps enfiévré, Selina sauta à terre, ramassa la bouteille d'eau fraîche qui avait roulé sous la table, et la plaqua contre sa joue en feu. Quand ses amies de Washington lui décrivaient les folles nuits d'amour qu'elles avaient passées avec leur fiancé, elles ne parlaient que de baisers torrides entremêlés de caresses veloutées, mais aucune d'elles ne lui avait dit qu'une femme pouvait éprouver un tel plaisir à sentir les lèvres d'un homme glisser le long de sa cheville.

Après avoir aspiré une grande bouffée d'oxygène pour essayer de calmer les battements de son cœur, Selina prit trois timbales sur la plus haute étagère d'un placard, puis sortit à son tour de la kitchenette et s'assit à l'ombre d'un parasol, sur le pont du bateau.

— Au lieu de me reprocher d'avoir menti à l'envoyée du *National Devourer*, vous devriez me remercier d'avoir eu cette idée de génie, lança Jérôme à Kamar dès que Selina eut rempli d'eau l'un des gobelets. Grâce à moi, vous allez avoir la paix jusqu'à votre départ de La Luna.

— On voit bien que vous ne connaissez pas les journalistes, monsieur Carrington. Quand ils tiennent une proie, ils ne la lâchent pas.

— Désormais, ce n'est pas vous qui serez en butte à la curiosité de Mlle Hunter, c'est ma petite-fille. Comme toutes les jeunes femmes impatientes de convoler, elle ira choisir sa robe de mariée et, pendant qu'elle sourira à l'objectif, nous pourrons discuter loin des oreilles indiscrètes.

— Il est hors de question que je passe mes vacances à courir les magasins, s'insurgea Selina. Je suis venue en Floride pour me reposer, pas pour faire du shopping à Locumbia.

— Si je ne t'avais pas obligée à quitter ton bureau hier matin, tu croulerais sous le travail à l'heure qu'il est, lui rappela Jérôme. Alors ne me dis pas que remplir la mission dont j'aimerais te charger est au-dessus de tes forces.

— Servir d'appât à une journaliste en mal de copie, tu parles d'une mission !

— Tu as oublié ta promesse ?

— Non. Je ne suis pas amnésique.

— Prouve-moi que tu es capable de tenir parole et je t'en serai éternellement reconnaissant.

« Que répondre à cela ? se demanda Selina en empoignant la canette de jus d'orange que Kamar avait apportée de la cuisine et en l'ouvrant d'une main agacée. Soit j'accepte d'interpréter le rôle de future jeune mariée qu'on m'a assigné et mes vacances seront gâchées, soit je refuse de coopérer et grand-père sera tellement furieux que, pour me punir de l'avoir laissé tomber, il m'enverra bâtir des igloos au fin fond de l'Alaska. »

— D'accord, jeta-t-elle, résignée. Je veux bien jouer les amoureuses transies, mais à une condition.

— Laquelle ?

— Que ton client soit plus aimable avec le personnel de La Luna qu'il ne l'a été jusqu'à présent.

— De quoi m'accusez-vous, mademoiselle Carrington ? s'indigna Kamar. D'avoir maltraité des employés de l'hôtel ?

— Oui, riposta-t-elle sèchement. Ce matin, vous avez ordonné au serveur du Greenhouse Café de vous débarrasser de Mlle Hunter comme s'il était votre esclave et qu'il n'avait pas d'autre choix que de vous obéir. Quant à la barmaid qui s'est occupée de nous hier, vous lui avez coupé la parole sans le moindre respect.

— Je vous ai déjà dit que je regrettais de l'avoir houspillée.

— Lui avez-vous présenté des excuses ?

— Je n'en ai pas encore eu le temps.

— J'espère que vous n'oublierez pas d'aller la saluer à notre retour au port.

— Je ne suis pas le seul à blâmer. Elle aussi a des choses à se reprocher : au lieu de me demander ce que je voulais, elle s'est mise à papoter avec vous à l'autre bout du comptoir et m'a ignoré.

— Peut-être a-t-elle trouvé plus poli de vous laisser discuter en paix.

— Eh bien ! elle a eu tort. J'aurais préféré boire ma vodka pendant que je téléphonais.

— Comment aurait-elle pu le deviner ? Elle n'a pas de dons d'extralucide.

— Elle n'avait qu'à me poser la question et je lui aurais répondu.

— Si elle avait fait ce que vous dites, elle vous aurait interrompu.

Le front emperlé de sueur, Kamar empoigna la

timbale que Selina avait remplie d'eau pétillante et la vida à longs traits.

— Il faut toujours que vous ayez le dernier mot, hein ? lança-t-il d'un ton bourru à la jeune femme.

— Quand je sais que j'ai raison, je ne rends effectivement jamais les armes avant d'avoir cloué le bec à mes adversaires, reconnut-elle. Puisque vous redoutez les indiscrétions, quel besoin aviez-vous de crier dans votre portable au risque d'ameuter les clients de l'hôtel ?

— Comme il y avait de la friture sur la ligne et que le Premier ministre de Zohra-zbel est un peu sourd, j'étais bien obligé de parler fort.

— A vous entendre hurler, on aurait cru que vous vouliez montrer vos talents d'orateur à la terre entière. Espérons que le futur représentant de votre pays aux Etats-Unis sera moins arrogant que vous.

— C'est à moi que la charge a été proposée.

— Et vous l'avez acceptée ?

— Pas encore. Je n'aimerais pas m'engager à la légère et regretter ensuite ma décision.

— A votre place, je refuserais le poste catégoriquement.

— Pourquoi ?

— Parce qu'un ambassadeur doit faire preuve de diplomatie et que vous ignorez la signification de ce mot.

— Détrompez-vous, je ne manque ni de patience ni de doigté et tous les habitants de Zohra-zbel me trouvent très sympathique.

— Comme vous êtes le fils du roi, ils ont sans doute peur de vous avouer la vérité et de…

— Vas-tu, oui ou non, coopérer, Sellie ? coupa Jérôme en sortant une liasse d'imprimés de son attaché-case.

— Oui, acquiesça-t-elle de mauvais gré. Jusqu'à notre départ de La Luna, j'essaierai de jouer les fiancées comblées.

— Et moi, bougonna Kamar, je n'ai pas le droit de donner mon avis ?

— Maintenant que j'ai réussi à convaincre l'envoyée du *National Devourer* que vous vouliez vous marier, quelle objection pourriez-vous soulever ? répliqua Jérôme. La seule chose que vous aurez à faire, ma petite-fille et vous, c'est de sortir ensemble le plus souvent possible. Marta Hunter en déduira d'elle-même que vous êtes follement amoureux l'un de l'autre.

Kamar réfléchit une seconde, le front plissé, puis tourna la tête vers Selina.

— Acceptez-vous de dîner en ma compagnie ce soir ? lui demanda-t-il d'un ton glacé.

— Ai-je le choix ? riposta-t-elle avec une égale froideur.

— Formidable ! s'exclama Jérôme. Je savais bien que vous finiriez par sympathiser, tous les deux.

5.

A peine le *Golden Star* avait-il regagné le port que Selina fut victime de ce qu'elle appelait le S.P.R. : le Syndrome du Premier Rendez-vous. Chaque fois qu'un homme séduisant l'invitait au restaurant, elle plongeait le nez dans sa penderie, trouvait qu'aucun de ses vêtements n'était adapté à un tête-à-tête amoureux et, prise de panique, allait dévaliser les magasins.

— Aujourd'hui, j'ai des excuses, marmonna-t-elle en ouvrant comme une bourrasque son dressing et en fixant les cintres vides d'un air affolé. Grand-père m'a demandé de quitter Washington à une telle vitesse hier matin que je n'ai pas eu le temps de faire mes valises.

Se refusant à porter deux soirs de suite la jupe rouge et le chemisier blanc qu'elle avait achetés dès son arrivée à La Luna, elle redescendit au rez-de-chaussée de l'hôtel et s'élança vers la galerie marchande, sa carte de crédit à la main.

— Pas mal ! s'exclama-t-elle quand, de retour dans sa chambre une heure et demie plus tard, elle se campa devant le miroir à socle d'ébène qui trônait au pied de son lit.

A la fois simple et audacieuse, avec son profond décolleté, ses manches pagode et sa jupe fendue jusqu'aux genoux, la robe de satin blanc qu'elle s'était offerte accentuait l'élégante minceur de sa taille et épousait ses formes au millimètre près. Noués en un épais chignon que retenaient des peignes incrustés d'ivoire, ses cheveux desséchés par l'eau de mer et par le vent du large avaient retrouvé leur souplesse et leur éclat grâce au talent incomparable du coiffeur attitré de Merry Montrose.

— Le joaillier a eu raison de me conseiller ces bijoux, murmura-t-elle en caressant des yeux les girandoles argentées qu'elle avait accrochées à ses oreilles et qui ruisselaient le long de son cou.

Satisfaite de l'image que lui renvoyait la psyché, elle sortit de son sac à bandoulière la trousse de maquillage que lui avait vendue l'une des esthéticiennes de l'institut de beauté, puis ombra ses paupières de poudre nacrée et posa une touche de carmin sur ses lèvres.

— Vous êtes ravissante, s'extasia Kamar lorsqu'elle descendit le rejoindre dans le hall, un châle de soie enroulé autour de ses épaules.

— Merci, répondit-elle, flattée. Où m'emmenez-vous ?

— Au Banyan. D'après Mme Montrose, c'est l'un des endroits les plus agréables de La Luna. Il paraît qu'on peut y dîner aux chandelles face à l'océan et regarder le soleil se coucher au-dessus des flots.

— Vous croyez que Marta Hunter viendra nous harceler pendant le repas ?

— J'espère que non, bougonna Kamar avant d'offrir son bras à Selina et de l'entraîner vers le restaurant.

Mais, dès qu'ils franchirent le seuil du Banyan, ils aperçurent la journaliste dans la salle. Assise à droite d'une immense cheminée dont la hotte lambrissée s'envolait jusqu'aux poutres du plafond, son magnétophone et son appareil photo à portée de main, elle avait l'air d'un chasseur à l'affût.

— Bonsoir, monsieur, bonsoir, mademoiselle, lança le maître d'hôtel avec une brève inclination du buste. Quelle table avez-vous réservée ?

— La table numéro 5, répondit Kamar de ce ton légèrement condescendant qu'employaient les rois et les princes pour s'adresser à leurs sujets. Où se trouve-t-elle ?

— Au coin de l'âtre.

— C'est bien ce que je craignais. Y en a-t-il une autre de libre ?

— Oui. Il arrive que des clients se désistent à la dernière minute.

— Dans ce cas, je préférerais m'installer le plus loin possible de la cheminée.

— Si vous vous asseyez à côté des cuisines, vous risquez d'être gêné par le va-et-vient des serveurs.

— Pourrions-nous dîner face à l'océan ? questionna Selina. J'aimerais regarder les vagues déferler sur la grève et admirer le coucher de soleil.

— Naturellement, mademoiselle, acquiesça le maître d'hôtel avant de la guider vers l'une des deux longues tables habillées de damas qui encadraient une baie vitrée.

— Veillez à ce que personne ne nous dérange, ordonna Kamar au vieil homme en lui glissant un billet de cinquante dollars dans la main. La jeune femme que vous voyez là-bas, au fond de la salle, est une journaliste et je ne voudrais pas qu'elle nous photographie, ma fiancée et moi.

— Rassurez-vous, monsieur, je ne la laisserai pas vous importuner.

— Comment Marta Hunter a-t-elle deviné que nous passerions la soirée au Banyan ? demanda Selina à Kamar dès qu'ils se furent assis côte à côte sous le lustre à pendeloques de cristal qui pailletait la nappe d'or et d'argent.

— Grâce aux indiscrétions d'un employé, répondit-il. Après avoir quitté le *Golden Star*, j'ai prié Mme Montrose de réserver une table dans l'un des restaurants de La Luna et quelqu'un a dû nous épier.

— Vous croyez que les membres du personnel oseraient trahir un client ?

— J'en ai bien peur. Les fouineuses telles que Marta Hunter sont très douées pour délier les langues. Chaque fois qu'elles publient un scoop, leur patron leur verse une prime de plusieurs milliers de dollars. Elles ne vont donc pas s'embarrasser de scrupules.

Pendant que Selina regardait le ciel se teinter d'améthyste et de safran, Kamar s'absorba dans la lecture de la carte des vins comme s'il y cherchait le secret de la vie éternelle.

— Que préférez-vous boire ? interrogea-t-il au bout de cinq minutes. Du gevrey-chambertin ou du pouilly-fumé ?

— Je ne sais pas. Puisque vous avez l'air d'hésiter entre les deux, appelez le caviste et il vous aidera à trancher.

— Moi, demander un coup de main à un modeste employé ? Vous voulez rire !

— Un caviste n'est pas n'importe quel employé. C'est un expert et il ne faut pas avoir honte de lui demander conseil.

— Sauf quand on a une réputation à tenir.

— Ce qui est votre cas ?

— Oui. A Zohra-zbel, je passe pour un fin connaisseur et je ne laisse personne choisir un grand cru à ma place.

— Ce soir, vous ferez une exception, glissa Selina à Kamar en voyant s'approcher le sommelier.

Et, à l'adresse de celui-ci, elle ajouta avec son plus joli sourire :

— Que devrions-nous boire, à votre avis ? Du gevrey-chambertin ou du pouilly-fumé ?

— Cela dépend de ce que vous allez manger. Si vous commandez du homard thermidor, il vaut mieux que vous preniez du pouilly-fumé. Il s'agit d'un vin blanc fruité qui accompagne à merveille les poissons et les crustacés. Si vous préférez, en revanche, le sauté d'agneau de lait aux pointes d'asperges et aux petits oignons, qui est la spécialité de notre chef, je vous conseille d'opter pour du clos vougeot, du gevrey-chambertin ou du musigny. Tous les trois proviennent de la Côte de Nuits et s'allient parfaitement à la viande.

— Quelle érudition ! Depuis combien de temps êtes-vous un spécialiste des grands crus ?

— Depuis douze ans. Avant d'être engagé à La Luna, je travaillais dans l'un des restaurants les plus réputés de Los Angeles.

— Oh ! je suis impressionnée, s'exclama Selina en battant des cils.

— Voulez-vous que je vous laisse réfléchir, monsieur ? demanda le sommelier à Kamar.

— Oui, vous pouvez disposer, jeta ce dernier du ton d'un châtelain congédiant un domestique.

— Vu la manière dont vous avez renvoyé ce malheureux, s'indigna Selina dès qu'elle se retrouva seule avec Kamar, je parie qu'il va réserver ses meilleures bouteilles aux autres clients et nous servir une infâme piquette pour vous punir de l'avoir rudoyé.

— Navré de vous avoir déplu encore une fois, mademoiselle Carrington, mais, contrairement à vous, un prince de Zohra-zbel ne s'abaisse pas à flatter ses subalternes.

— Je n'ai pas flatté ce pauvre homme. Je me suis juste montrée polie envers lui. Ses connaissances m'ont époustouflée et j'ai trouvé normal de le féliciter.

— Quand il s'est approché de notre table et que vous lui avez souri, votre attitude n'avait rien de chaleureux. Vous ne faisiez qu'interpréter un rôle.

— Quel rôle ?

— Celui de la gentille fille qui a besoin d'un renseignement et qui cherche à amadouer la seule personne susceptible de le lui donner. Moi, lorsque je veux obtenir des informations, je les réclame fermement.

— Je ne pense pas que ce soit le terme approprié. Vous ne réclamez pas les choses, vous les *exigez* d'un ton sec et méprisant.

— Parce que je suis franc et direct. Plutôt que de me cacher derrière des faux-semblants et de manipuler les autres comme des pions sur un échiquier, je préfère me montrer sous mon vrai jour.

Voyant Selina baisser la tête et s'abîmer dans la contemplation de la nappe, Kamar lui emprisonna le visage entre ses mains et l'obligea à relever le front.

— Hier, au bar, vous avez essayé de me faire croire que vous me trouviez attirant et que cela vous plairait de passer vos soirées en ma compagnie, enchaîna-t-il. Mais, en réalité, je n'étais qu'un pantin à vos yeux. Un pantin avec lequel vous aviez hâte de vous amuser.

« La prochaine fois que je sélectionnerai une victime, il faudra que j'en choisisse une qui manque totalement de flair et de psychologie », se dit Selina, étonnée par la perspicacité de Kamar.

— A vous écouter, riposta-t-elle en s'écartant de lui, on pourrait s'imaginer que vous êtes facile à duper et que j'ai voulu abuser de votre naïveté alors qu'il n'y a pas de pire prédateur que vous de New York à Los Angeles et de Detroit à Miami. Quand on change de petite amie tous les quatre matins et qu'on est à la une des magazines à scandale une semaine sur deux, on a suffisamment d'expérience pour ne pas se laisser berner par la première venue.

— C'est grâce à cette expérience que j'ai réussi à vous démasquer.

— Il ne vous arrive jamais de jouer la comédie

aux starlettes que vous rêvez d'attirer dans votre lit ?

— Si, avoua Kamar. Seulement, il y a une énorme différence entre nous.

— Ah bon ! Vous me croyez plus dangereuse et plus machiavélique que vous ?

— Beaucoup plus. Qu'est-ce qui vous pousse à flirter avec des inconnus ?

— Le besoin de tester mes talents de séductrice, répondit Selina en haussant les épaules. J'aime voir jusqu'où les hommes que je rencontre seraient prêts à aller pour mes beaux yeux.

— Vous trouvez cela drôle de leur promettre monts et merveilles et de ne leur offrir que du vent ?

— Très drôle. Rien ne m'amuse davantage que de les appâter et de les regarder mordre à l'hameçon.

— Quand j'essaie de conquérir une femme et qu'elle me résiste, je suis ravi de lui faire mon numéro de charme et de l'amener là où je le souhaite, alors que, vous, vous ne semblez prendre aucun plaisir au petit jeu que vous me décrivez. Sous vos dehors provocants, je parie que vous cachez une âme de…

— Avez-vous fait votre choix, monsieur ? interrompit le sommelier en venant se camper devant la table. Du pouilly-fumé ou du gevrey-chambertin ?

— Ni l'un ni l'autre, jeta Kamar. Ma fiancée et moi avons décidé de nous passer d'alcool ce soir.

« Mieux vaut que je reste sobre, en effet, pensa Selina. Si j'avalais ne serait-ce qu'une goutte de vin, je serais capable de raconter ma vie à ce don Juan de pacotille et de lui donner des armes pour m'abattre. »

— Apportez-nous une salade de laitue, des homards thermidor et une carafe d'eau minérale, lança Kamar au serveur qui avait accompagné le caviste.

Puis, dès que les deux hommes se furent éloignés, il s'inclina vers la jeune femme et lui murmura à l'oreille :

— Ayez l'air amoureuse. Mlle Hunter s'approche de nous et il ne faudrait pas qu'elle ait le moindre doute à notre sujet.

— Comment allons-nous réussir à la mystifier ?

— En jouant à la perfection la pièce que nous avons mise en scène et en attaquant dès maintenant le morceau de bravoure.

— Que voulez-vous dire par là ?
— Vous n'en avez aucune idée ?
— Absolument aucune.
— Laissez-moi faire, je vais vous montrer ce qu'on attend de nous, chuchota Kamar avant d'encercler les épaules de Selina et de lui effleurer les lèvres d'une caresse furtive, à peine esquissée.

Quand, du bout de la langue, il chercha à forcer la barrière de ses dents, elle faillit se dégager d'une secousse et le gifler à toute volée, mais, se rappelant la promesse que lui avait arrachée son grand-père, elle obéit à l'injonction, puis mêla son souffle à celui, brûlant, qui enflammait son palais. Soudain, elle sentit un délicieux émoi la gagner. Plus rien n'importait subitement. Ni l'article fantaisiste que Marta Hunter ne manquerait pas de publier dans le *National Devourer* à la fin de la semaine, ni les regards amusés que devaient échanger les autres clients. Seul comptait ce tourbillon d'ivresse qui l'entraînait loin, très loin de la réalité et auquel elle ne pouvait résister.

Lorsque Kamar relâcha son étreinte et qu'elle sortit de son extase, elle s'aperçut qu'un employé du restaurant avait dressé la table pendant qu'ils s'embrassaient et qu'il avait posé sur la nappe un soliflore de Gallé d'où jaillissait une rose aux pétales satinés.

— A quoi voulez-vous goûter en premier ? demanda Kamar à Selina. A la salade ou aux homards thermidor que le chef nous a préparés ?

— A la salade, répondit-elle d'une voix dont elle s'efforçait de maîtriser le tremblement.

— Puisque vous allez devenir la reine du marketing grâce à la campagne Corny Crunch et que les reines ont l'habitude de se faire servir, permettez-moi de vous aider, murmura-t-il avant d'enrouler une feuille de laitue autour de sa fourchette et de porter celle-ci à la bouche de la jeune femme avec mille et une précautions.

« Ne t'emballe pas, idiote ! se morigéna-t-elle en entrouvrant ses lèvres et en sentant son cœur tressauter dans sa poitrine. Ce n'est pas parce que ton pseudo-fiancé embrasse divinement bien que tu dois tomber amoureuse de lui. Alors, respire à fond comme te l'a enseigné ton professeur de yoga et ne te laisse pas griser par la magie d'une trop belle nuit d'été. »

Mais quand Kamar s'inclina vers elle et lui déroba un nouveau baiser, elle oublia ses résolutions.

6.

— On y va ? lança Kamar à la fin du dîner.

— Où... où voulez-vous que nous allions ? balbutia Selina en émergeant de l'agréable torpeur qui l'avait envahie au cours du repas.

« Pas dans votre chambre, tout de même ? » se retint-elle d'ajouter. Elle avait certes promis à son grand-père d'être gentille avec le prince de Zohrazbel, mais le rôle de future jeune mariée qu'elle avait accepté d'interpréter n'exigeait heureusement pas qu'elle succombe au charme de ce don Juan et qu'elle se glisse entre ses draps à la première occasion.

— A l'hôtel, bien sûr, répondit Kamar. Les autres clients du Banyan se sont levés de table il y a une vingtaine de minutes déjà.

— Et Marta Hunter, elle est encore là ?

— Non. Lorsqu'elle a vu que nous n'arrêtions pas de roucouler, elle a dû se dire que le moment était mal choisi pour nous bombarder de questions et a réglé sa note sans chercher à nous extorquer la moindre confidence.

— Tant mieux, car je n'avais aucune envie de passer la soirée à lui raconter des histoires.

— L'amusant vaudeville que votre grand-père nous a suggéré de mettre en scène ne vous plaît pas ?

— Si, mais je n'ai pas l'habitude d'être sous les feux de la rampe et mes talents de comédienne laissent à désirer.

— Ce n'est pas l'impression que j'ai eue la première fois que je vous ai embrassée. Au lieu de détourner la tête, vous m'avez offert vos lèvres et rendu mon baiser avec une fougue et un naturel dignes des stars de Broadway.

— Simple réflexe d'actrice débutante ! Quand on manque d'expérience et qu'on tient à convaincre son public, on est bien obligé de prendre sur soi.

Une étincelle moqueuse dans le regard, Kamar se leva de table, puis aida Selina à quitter son siège et l'entraîna hors du restaurant.

— Que préférez-vous ? lui demanda-t-il dès qu'ils eurent traversé la terrasse dallée de grès qui longeait le Banyan. Regagner votre chambre ou m'accompagner sur la plage ?

— Vous accompagner, jeta-t-elle d'une voix à peine audible.

— Voulez-vous que je vous prête ma veste ? proposa-t-il en la voyant frissonner.

« Non, répondit-elle secrètement. Ce n'est pas de froid que je tremble, c'est de peur et de désir. »

De tous les hommes qu'elle avait rencontrés jusque-là, Kamar ibn-Asad était le seul dont les baisers l'avaient troublée, et de se savoir aussi sensible au charme de ce séducteur l'effrayait.

Après avoir resserré les pans soyeux de son châle autour de ses épaules, elle saisit la main qu'il lui tendait et se laissa guider en silence. Striée par l'ombre des palmiers qui encerclaient La Luna, la grève ressemblait à une immense feuille de papier à musique sur laquelle les châteaux de sable qu'avaient bâtis des enfants dessinaient çà et là des croches et des soupirs.

— Oh ! regardez, s'écria Kamar, l'index pointé vers d'étranges lucioles qui ondulaient au rythme lent des vagues. Qu'est-ce que c'est ?

— Je n'en ai aucune idée, murmura Selina en s'approchant du rivage et en plongeant ses doigts dans l'eau. On dirait des feux follets.

— Si nous étions à bord d'un avion en ce

moment, nous aurions l'impression de survoler un gigantesque candélabre hérissé de bougies.

— Le spectacle est moins grandiose au ras du sol, mais la plage a un tel charme à cette heure-ci qu'on se croirait au paradis.

Après avoir aidé Selina à essuyer ses mains, Kamar l'entraîna vers de somptueuses villas ombragées de lataniers qui sommeillaient derrière leurs volets clos. Louées à des couples avec enfants, elles étaient entourées de bacs à sable, de toboggans et de bassins aux rebords carrelés d'indigo.

— Vous avez vu ? lança la jeune femme en contournant la palmeraie et en s'approchant du bar où elle était descendue boire un cocktail la veille au soir. Marta Hunter est en train d'interroger votre Jamaïcaine préférée.

— J'espère que cette imbécile ne va pas se mettre à cancaner, maugréa Kamar.

— Janis n'est pas une imbécile et cela m'étonnerait qu'elle fasse des confidences à une journaliste.

— Comme elle ne doit pas me porter dans son cœur, elle pourrait avoir envie de se venger.

— Pourquoi voudriez-vous qu'elle vous déteste ? Vous m'avez dit cet après-midi que tout le monde vous trouvait sympathique.

— A Zohra-zbel, je suis effectivement très

populaire, mais je crains qu'il n'en aille pas de même à La Luna.

— Auriez-vous enfin compris que votre attitude dédaigneuse à l'égard du personnel risquait de vous valoir quelques inimitiés ?

— Oui, acquiesça Kamar à contrecœur juste avant que les musiciens de jazz qui venaient de grimper sur une estrade, au fond du bar, ne jouent les premières mesures d'*Unforgettable*. Puisque nous sommes censés former un couple, vous et moi, et que les amoureux ont généralement une chanson fétiche, ajouta-t-il d'un ton radouci, j'aimerais que nous choisissions celle que l'orchestre est en train d'interpréter.

— Pourquoi ce titre-là plutôt qu'un autre ?

— Parce que *unforgettable* signifie « inoubliable » et que, si j'en crois ce que vous m'avez dit ce matin au Greenhouse Café, notre rencontre restera à jamais gravée dans votre mémoire.

Un sourire au bord des lèvres, Kamar encercla la taille de Selina et la fit tournoyer sur les accents langoureux des guitares.

— Inutile de nous donner en spectacle ! lâcha-t-elle lorsqu'il lui renversa la tête et qu'il essaya de lui voler un baiser.

— N'est-ce pas précisément ce que votre grand-père attend de nous ?

— Non. Il ne voudrait pas que j'imite ces starlettes d'Hollywood qui se pendent à votre cou devant les objectifs des paparazzi.

— Et vous, que me répondriez-vous si je vous proposais de monter boire un dernier verre dans ma chambre ?

— Que je ne suis pas le genre de femme à accepter n'importe quelle invitation.

— Jolie et délurée comme vous l'êtes, je suis sûr que vous traînez derrière vous toute une armée de soupirants.

— Ce qui prouve que vous manquez de perspicacité. Je n'ai ni petit ami ni fiancé.

— J'ai du mal à croire qu'aucun homme n'ait réussi à vous séduire.

— Ils sont nombreux à avoir essayé, mais je ne suis pas une fille facile, contrairement à ce que vous insinuez.

— Vu les œillades incendiaires que vous m'avez décochées hier soir, permettez-moi d'en douter.

— Les apparences sont souvent trompeuses, répliqua Selina, soudain agacée.

— Dans votre cas, je ne pense pas qu'elles le soient.

— Attendez de mieux me connaître et vous changerez d'avis.

— Oh ! je ne demande que cela, s'exclama Kamar avant d'esquisser un pas de tango et de déverser une pluie de baisers le long du cou de Selina.

— Qu'est-ce qui vous prend ? protesta-t-elle. C'est quand il y a du monde autour de nous que vous avez le droit de m'embrasser, pas lorsque nous sommes seuls.

— Justement ! Marta Hunter a quitté le bar et est en train de nous observer.

— Raison de plus pour vous conduire en gentleman ! Si vous me sautez dessus comme un sauvage chaque fois que vous l'apercevez, elle va vous donner un autre surnom que celui dont les journalistes de *People* vous ont affublé.

— Quel surnom ?

— Le Lion affamé du désert.

Loin de trouver le sobriquet injurieux, Kamar éclata de rire.

— Venez, dit-il à Selina en la prenant par les épaules et en la guidant vers l'hôtel. Il est tard et vous devez avoir hâte de monter vous reposer.

Après avoir regagné le duplex qu'il occupait au dernier étage de La Luna et pris une douche, Kamar se glissa entre ses draps et crut qu'il lui suffirait de fermer les paupières pour s'endormir, mais le visage de Selina tel qu'il lui était apparu au clair de lune — ses jolis yeux bleu saphir où brillait une lueur d'indignation, son petit nez mutin piqueté d'éphélides et sa bouche aux lèvres gourmandes que la colère faisait trembler — n'était pas de ceux qu'on pouvait facilement oublier.

— Cette fille est une énigme, maugréa-t-il, les doigts croisés derrière sa nuque. Plus je la connais, moins j'arrive à la cerner.

D'un côté, elle aguichait les hommes dans des bars enfumés et se conduisait avec eux comme une courtisane. De l'autre, elle s'effarouchait au moindre baiser et refusait toute familiarité.

Etait-ce parce qu'elle craignait de choquer son grand-père qu'elle se montrait aussi réservée ? Sans doute... Jérôme Carrington avait beau travestir la vérité au gré de sa fantaisie et jouer les entremetteurs à l'occasion, il s'imaginait certainement que Selina était l'innocence incarnée et qu'elle menait une vie exemplaire en attendant de trouver le prince charmant.

— Que cela plaise ou non à ce vieil ingénu, bougonna Kamar après avoir tiré les rideaux de son lit à baldaquin et enfoui la tête sous son oreiller, un soir viendra où sa « vertueuse » petite-fille me tombera dans les bras.

Mais, pour pouvoir la séduire, il devrait d'abord briser l'épaisse carapace dont elle s'entourait chaque fois qu'un danger la menaçait… et percer un à un ses secrets.

7.

Lorsque Kamar sauta à bas de son lit le lendemain matin et que, par la fenêtre de sa chambre, il vit Selina faire du jogging au bord de l'océan, il n'eut plus qu'un désir : la rejoindre.

Après avoir pris une douche froide et enfilé les premiers vêtements qui lui tombèrent sous la main, il descendit au rez-de-chaussée puis, sachant que la jeune femme préférait les jus de fruits à l'eau minérale et au thé glacé, il alla acheter deux canettes d'orangeade dans l'une des boutiques de l'hôtel.

— Vous êtes déjà levé, prince Asad ? lança derrière lui une voix haut perchée qu'il aurait reconnue entre mille.

— Bonjour, mademoiselle Hunter, grommela-t-il en pivotant tout d'une pièce sur ses talons. Votre dîner au Banyan vous a plu ?

— Beaucoup, mais j'aurais bien aimé pouvoir vous interviewer pendant la soirée.

— Vous n'avez pas encore fini de rédiger l'article choc que vous voulez publier à mon sujet ?

— Non. Je crois que je vais suivre le conseil que m'a donné le grand-père de votre fiancée et attendre que vous ayez passé la bague au doigt de sa petite-fille pour peaufiner mon texte. Quand vous déciderez-vous à sauter le pas ?

— Quand certains points de détail concernant la cérémonie seront réglés.

— A votre place, j'enterrerais ma vie de célibataire ici même. Depuis que Merry Montrose dirige La Luna, il paraît que le nombre de mariages célébrés sur l'île ne cesse d'augmenter chaque année.

— Qui vous a raconté cela ?

— Les serveurs et les femmes de chambre avec lesquels j'ai bavardé hier. Jackie et Steven Rollins, Cathy et Diego Vargas, et Parris et Brad Smith sont les derniers couples à avoir échangé leurs serments sous le regard ému du personnel. Le cadre est tellement romantique que les clients de l'hôtel qui rêvent de fonder un foyer doivent se dire qu'ils ne pourraient pas trouver un plus bel endroit au monde pour épouser celui ou celle dont ils sont amoureux.

« Moi, lorsqu'il faudra que je renonce à ma liberté, pensa Kamar, ce sera à Zohra-zbel que la cérémonie aura lieu, et tous les habitants du royaume viendront m'acclamer au pied du palais. »

— Dès que j'ai quitté le ferry hier matin, reprit Marta Hunter de sa voix stridente, j'ai senti qu'il y avait de la magie dans l'air. Vous n'avez pas eu cette impression, vous aussi ?

— Non, mais je suis probablement moins réceptif que vous. A force de traquer des stars et des têtes couronnées aux quatre coins du pays, vous avez acquis une certaine expérience.

— Jusqu'à maintenant, je me suis souvent fiée à mon intuition et cela m'a réussi. Chaque fois que j'interviewe une célébrité, je devine ce qu'elle me cache et ce qui va lui arriver.

— Vous avez raté votre vocation, mademoiselle Hunter. Ce n'est pas dans le journalisme que vous auriez dû faire carrière, mais dans la voyance.

— Quand mes articles ne se vendront plus, je me reconvertirai.

— Et vous gagnerez des fortunes… si tant est que vos prédictions se réalisent.

— Vous voulez que je vous donne un aperçu de mon talent ?

— Oui.

— Malgré les nombreux points de détail qu'il vous reste à régler, votre ravissante fiancée et vous allez vous marier pendant vos vacances à La Luna, j'en mettrais ma tête à couper.

— Navré de vous ôter vos illusions, mais vous risquez fort de perdre votre pari, jeta Kamar avant de prendre congé de Marta Hunter et de s'approcher à grands pas de la piscine au bord de laquelle Selina était en train de faire sa gymnastique matinale.

Après avoir enchaîné des exercices de stretching avec la grâce et le sérieux d'une athlète confirmée, elle retira ses chaussures de jogging et ses socquettes, puis enleva le T-shirt blanc qui lui collait à la peau et se débarrassa de son short en un tour de main.

« Dommage qu'un prince de Zohra-zbel n'ait pas le droit d'épouser une Américaine ! » songea Kamar lorsqu'il la vit s'étirer au soleil, simplement vêtue de son minuscule Bikini, et qu'il sentit une vague de désir lui enflammer les veines.

Inconsciente de l'examen dont elle était l'objet, Selina piqua une tête dans le bassin et, en une vingtaine de brasses, le traversa de part en part.

— Oh ! regardez la jolie dame, lança soudain

une petite fille à ses parents. Elle nage drôlement bien, vous ne trouvez pas ?

— Si, ma puce, répliqua sa mère, une charmante brunette en robe de percale fleurie qui était assise à l'ombre d'un palmier.

De crainte que les hommes allongés sur des transats au milieu du solarium ne dévorent Selina des yeux quand elle sortirait de l'eau, Kamar empoigna l'un des draps de bain à rayures dorées que la directrice de La Luna mettait à la disposition de ses clients et s'approcha de l'échelle métallique dont les barreaux rutilaient à l'autre bout de la piscine.

— Venez, je vais vous essuyer, dit-il à Selina en l'aidant à quitter le bassin et en l'enveloppant dans la serviette-éponge.

— Comme c'est touchant ! s'exclama la jeune maman avec un petit sourire entendu. Quel beau couple !

— De qui parle-t-elle ? glissa Selina à Kamar. Pas de nous, j'espère ?

— J'ai bien peur que si, murmura-t-il. Elle doit nous prendre pour des amoureux.

Puis, voyant une moue irritée plisser les lèvres de Selina, il l'entraîna vers une table ronde, à l'abri des regards indiscrets.

— Quand je me suis levé tout à l'heure et que j'ai jeté un œil par la fenêtre de ma chambre, je vous ai aperçue sur la plage, ajouta-t-il après s'être assis en face d'elle et lui avoir offert l'une des deux canettes qu'il avait achetées. Il vous arrive souvent de faire du jogging ?

— Oui. A Washington, il y a un jardin public au pied de l'immeuble où j'habite, et je vais y courir chaque matin. Cela me permet de rester en forme et d'évacuer mon stress.

— Ici, à La Luna, vous n'avez aucune raison de vous sentir angoissée.

— Vous oubliez Marta Hunter et cette énervante manie qu'elle a de nous suivre à la trace. Tant qu'elle n'aura pas déguerpi, je n'arriverai pas à me détendre.

— Lorsque je suis descendu dans le hall, elle y était déjà et je n'ai pas pu l'éviter, acquiesça Kamar.

— De quoi vous a-t-elle parlé ?

— De notre soirée d'hier au Banyan et de ses talents d'extralucide. Elle se croit très intuitive et est persuadée que je vous épouserai sur cette île.

— Où est-elle allée pêcher une idée pareille ?

— Dans sa boule de cristal, peut-être, ou dans du marc de café. Elle a gobé tout ce que votre grand-père lui a raconté et s'imagine que nous sommes impatients de nous mettre la corde au cou.

— A propos de mon grand-père, rebondit Selina, il m'a demandé de vous inviter à venir prendre le petit déjeuner avec nous, mais rien ne vous oblige à accepter.

— Si je refusais, je serais le dernier des goujats, riposta Kamar en bondissant de sa chaise et en aidant Selina à se lever.

— Vous avez bien dormi cette nuit ? lui demanda-t-elle avant d'empoigner les vêtements qu'elle avait laissés au bord de la piscine et de le suivre à l'intérieur de l'hôtel.

— Pas trop, jeta-t-il, sans oser lui avouer qu'il avait passé des heures à revivre par la pensée les merveilleux baisers qu'ils avaient échangés au Banyan.

— Moi non plus. La situation dans laquelle nous sommes est tellement bizarre que j'ai eu toutes les peines du monde à trouver le sommeil malgré l'heure tardive à laquelle nous avions quitté le restaurant.

— Il faut dire que votre grand-père nous a fourrés dans un drôle de guêpier.

— C'est un doux euphémisme.

— Si nous ne voulons pas que Marta Hunter

gâche nos vacances, il va falloir que nous cessions de la considérer comme une ennemie et que nous prenions les choses avec humour.

Après avoir traversé le hall d'accueil, Kamar ouvrit la porte de l'ascenseur à l'aide de la carte magnétique que lui avait donnée Merry Montrose et s'engouffra dans la cabine derrière Selina.

— Je connais un autre moyen d'abréger notre calvaire, lança la jeune femme dès que le panneau coulissant se fut refermé.

— A quoi pensez-vous, au juste ?

— Au listing immobilier que vous devez étudier ce matin. Moins vous mettrez de temps à choisir la résidence du futur ambassadeur de Zohra-zbel aux Etats-Unis, plus vite nous pourrons quitter La Luna et nous débarrasser de Marta Hunter.

« Moi, j'aimerais que mes vacances en Floride durent une éternité », faillit riposter Kamar, les yeux soudés aux minuscules triangles de Lycra vert tilleul qui moulaient les formes délicates de Selina.

— J'essaierai de me décider rapidement, jeta-t-il en enfouissant ses mains dans les poches de son pantalon de peur qu'elles n'échappent à sa volonté.

— Merci.

— Ah, te voilà, ma chérie ! s'exclama Jérôme lorsque sa petite-fille franchit le seuil de leur suite quelques instants plus tard. J'ai demandé à une serveuse de nous monter un plateau.

— Pendant que le prince Asad et toi bavardez, je vais prendre une douche et m'habiller, rétorqua Selina, impatiente de se soustraire au regard enflammé dont l'enveloppait Kamar.

Puis, laissant les deux hommes seul à seul, elle se réfugia à l'intérieur de la salle de bains et ferma la porte à double tour.

— Quel pot de colle, ce type ! maugréa-t-elle en retirant son Bikini et en s'engouffrant dans la cabine carrelée d'ocre pâle qu'une paroi vitrée isolait du Jacuzzi. Que j'aille boire un verre au bar, me promener sur la plage ou faire de la gymnastique au bord de la piscine, il faut toujours qu'il soit là. Et le pire, c'est que je n'ai rien de grave à lui reprocher. S'il me traitait comme quantité négligeable ou qu'il se montrait discourtois, je pourrais lui dire ma façon de penser et l'envoyer au diable. Mais la soirée que j'ai passée avec lui hier a été tellement merveilleuse que je ne suis pas près de l'oublier.

L'esprit trop confus pour analyser les sentiments étranges que lui inspirait son prétendu fiancé,

Selina ouvrit le robinet de la douche d'une main tremblante de nervosité, puis laissa l'eau fraîche cascader sur ses épaules et dissiper peu à peu sa colère.

Lorsqu'elle quitta la salle de bains vingt minutes plus tard et qu'elle regagna le salon, Kamar brandissait l'une des fiches illustrées que Jérôme avait sorties de son attaché-case.

— J'ai trouvé la résidence que je cherchais, annonça-t-il à la jeune femme d'un air triomphant.

— Où est-elle située ? s'informa-t-elle, curieusement désappointée par cet élan d'enthousiasme.

— A Georgetown.

— Il faudrait que je travaille d'arrache-pied pendant dix mille ans pour pouvoir m'acheter un trois-pièces dans ce quartier de Washington. Quand ferez-vous une offre au propriétaire ?

— Dès que possible, et je lui accorderai un délai de réflexion de soixante-douze heures.

— Comme il s'agit d'une transaction internationale, les formalités administratives seront plus longues que d'habitude, précisa Jérôme à Selina.

Puis, se tournant vers son client, il ajouta :

— Lorsque vous aurez signé les papiers que je vais vous remettre, je descendrai les faxer au vendeur et vous n'aurez qu'à éloigner Marta Hunter de l'hôtel en allant vous promener avec ma petite-fille.

— Excellente idée ! approuva Kamar, tout sourires. Selina et moi avons encore un tas de choses à nous raconter.

8.

— J'ai étudié le projet que vous m'avez envoyé par e-mail, monsieur Barnett, jeta Merry Montrose dans le micro de son téléphone, et je dois vous avouer que j'ai été emballée. Lorsque je me suis adressée à vous, je savais que vous étiez un architecte de talent, mais j'étais loin de me douter que votre esquisse répondrait aussi bien à mon attente.

— Je suis heureux que mes idées vous aient plu, madame Montrose, lança Rick Barnett à l'autre bout du fil. La dernière fois que vous m'avez appelé, vous m'avez décrit la chapelle que vous rêviez de faire construire et, grâce à votre enthousiasme, je n'ai eu aucun mal à trouver l'inspiration.

— Puisque nous allons être amenés à collaborer, vous et moi, j'aimerais que vous veniez passer une semaine ou deux sur l'île et que vous m'aidiez à choisir l'emplacement du futur édifice.

— Quand voulez-vous que je descende en Floride ?

— Dès que possible. Comme le nombre de mariages célébrés à La Luna ne cesse d'augmenter et que le grand salon de l'hôtel n'est pas adapté à ce genre de cérémonie, j'ai hâte de voir mon projet se concrétiser.

— Dans ce cas, je vais réserver aujourd'hui même mon billet d'avion.

— Merci, monsieur Barnett. J'attends votre arrivée avec impatience.

« Espérons que cet architecte de génie est célibataire ! pensa Merry après avoir salué son correspondant et raccroché. S'il n'a pas encore trouvé l'âme sœur, je le pousserai dans les bras d'une jolie vacancière et j'aurai enfin le droit de retourner en Silestie… A condition, bien sûr, que Selina Carrington et Kamar ibn-Asad tombent amoureux l'un de l'autre. A en croire le personnel du Banyan, les choses sont en bonne voie, mais il ne faudrait pas qu'un événement imprévu vienne tout gâcher. »

Pestant contre les douleurs fulgurantes qui lui vrillaient les chevilles et les poignets depuis que ses rhumatismes s'étaient réveillés, Merry quitta son bureau à pas menus et allait regagner la villa qu'elle occupait au cœur de la palmeraie lorsqu'elle aperçut le grand-père de Selina au milieu du hall d'accueil.

— Qu'y a-t-il pour votre service, monsieur Carrington ? s'empressa-t-elle de lui demander avant que Lissa ne jaillisse de derrière son comptoir et ne lui mette des bâtons dans les roues.

— J'aimerais faxer quelques documents à une agence immobilière de Washington, répliqua-t-il en sortant une demi-douzaine d'imprimés de son attaché-case. Mais comme ils ont été signés par le cheik Asad, je ne tiens pas à ce qu'ils tombent entre les mains de n'importe qui.

— Voulez-vous que je me charge de l'opération à la place de ma secrétaire ?

— Oui, merci. C'est très gentil à vous de me proposer votre aide.

— En tant que directrice de cet établissement, je me dois de satisfaire aux exigences de mes hôtes.

— D'après ce que j'ai pu constater, vous vous acquittez de votre tâche à merveille, déclara Jérôme avec un sourire.

— Vous me flattez, monsieur Carrington.

— Pas du tout ! J'ai beaucoup apprécié l'accueil que vous m'avez réservé.

— L'essentiel à mes yeux est que vous vous plaisiez à La Luna.

— Comme le destinataire de mon fax risque de mettre une journée ou deux à me répondre et que je n'ai pas envie de rester inactif d'ici là, que me conseillez-vous ?

— De louer un hors-bord et de partir explorer la pointe sud de l'île, ou d'assister aux cours d'aquagym qui sont donnés à l'Oasis. Sept de mes clientes s'y sont déjà inscrites et m'ont dit qu'elles ne rateraient la prochaine leçon pour rien au monde.

— Quand ont lieu les séances ?

— Chaque après-midi, du lundi au samedi inclus. Elles débutent à 15 h 30 et se terminent aux alentours de 17 heures.

— Moi qui raffole de la natation et des jolies sirènes, je sens que je ne vais pas m'ennuyer, répliqua Jérôme avant de refermer son attaché-case et de quitter le hall d'accueil d'un pas allègre.

« Peut-être Emma Forsythe, la séduisante historienne que j'ai expédiée à la piscine, tombera-t-elle amoureuse de lui entre deux exercices d'aérobic, pensa Merry en le suivant des yeux, un large sourire aux lèvres. Auquel cas je n'aurai même pas besoin de pousser Rick Barnett vers l'autel pour retrouver ma jeunesse et ma beauté. »

Mais lorsqu'elle balaya du regard les documents que lui avait confiés l'agent immobilier, sa bonne humeur s'envola d'un coup.

— Si le propriétaire de la résidence de Georgetown donne dès demain son accord au prince Asad, celui-ci n'aura plus aucune raison de rester à La Luna avec Selina Carrington et je pourrai dire adieu à mon vingtième mariage, maugréa-t-elle après avoir regagné son bureau.

La mine sombre, elle envoya les imprimés au numéro que Jérôme avait noté en haut du premier formulaire puis, avisant les sachets d'aspartame qu'elle avait posés le matin même à côté de sa cafetière, elle les déchira un à un et en versa le contenu dans le fax.

— Rien de tel qu'un peu de sucre pour empêcher un télécopieur de fonctionner ! murmura-t-elle, fière de son ingéniosité.

9.

— Je vous remercie d'avoir déjà choisi la résidence du futur ambassadeur de Zohra-zbel, dit Selina à Kamar en flânant sous les arcades de la galerie marchande. C'est pour me faire plaisir que vous vous êtes décidé aussi vite ?

— Pas seulement, la détrompa-t-il. La conversation que nous avons eue ce matin m'a donné à réfléchir et je me suis aperçu que vous aviez raison. Le meilleur moyen d'en finir avec cette stupide histoire de mariage est bel et bien de quitter La Luna. Quand les chroniqueurs de *People* m'ont surnommé « le Play-boy du désert » à cause de mes frasques, mon père a menacé de m'envoyer moisir dans un lointain consulat à la prochaine incartade. Je ne tiens donc pas à ce qu'il me croie fiancé à une Américaine et à ce qu'il mette sa menace à exécution. Non pas qu'il soit un lecteur assidu des magazines à scandale, mais il est possible que des membres de son gouvernement soient abonnés au *National Devourer* et lui parlent de l'article que doit publier Marta Hunter.

— Espérons que le propriétaire de la maison de Georgetown va se dépêcher de vous répondre.

— Une fois que l'affaire sera conclue, nous n'aurons plus besoin de jouer la comédie.

Selina s'arrêta devant un étal sur lequel étaient artistiquement disposées de magnifiques poteries teintées de rouge, qui semblaient s'être échappées des entrailles d'un volcan.

— Voulez-vous que je vous offre ce bol ? lui demanda Kamar en la voyant fixer d'un œil admiratif une jatte au contour orangé.

— Non, merci, répondit-elle. Si je l'emportais à Washington, je risquerais de le casser pendant le trajet et de…

— Nous pouvons l'emballer et l'expédier à l'adresse de votre choix, mademoiselle, coupa une jeune employée du magasin.

Puis, l'index pointé vers une vitrine, elle poursuivit :

— Nous ne vendons pas que des objets fragiles et volumineux, vous savez. Nous avons également de très jolis bijoux. Les serveurs du Banyan m'ont confié que vous deviez épouser le prince Asad et qu'il vous avait invitée au restaurant hier soir, mais comme il n'y a aucune bague à votre annulaire, les gens que vous croisez doivent s'interroger.

— Elle a raison, chuchota Kamar à l'oreille de Selina. Tant que nous n'aurons pas officialisé nos « fiançailles », Marta Hunter aura des doutes à notre sujet et nous n'arriverons pas à nous débarrasser d'elle.

— Demain ou vendredi, le propriétaire de la résidence que vous avez sélectionnée vous faxera sa réponse et nous n'aurons plus rien à craindre de cette enquiquineuse. Alors, à quoi bon engager de folles dépenses ?

— Puisque nous avons accepté de jouer les amoureux transis, autant aller jusqu'au bout.

— Vous n'avez pas peur qu'on me prenne en photo avec un solitaire au doigt et que le cliché tombe sous les yeux de votre père ?

— S'il n'y a pas d'autre moyen d'avoir la paix pendant les prochaines quarante-huit heures, je veux bien courir ce risque.

— D'accord, mais évitez de vous ruiner. Un simple anneau en acier orné de fausses pierres suffira à convaincre Marta Hunter de notre sincérité.

— Moi, offrir à la future princesse de Zohra-zbel une bague en toc ? se récria Kamar d'un air scandalisé. Vous n'y songez pas !

Et, se tournant vers la vendeuse, il enchaîna :

— Montrez-nous ce que vous avez de plus beau, mademoiselle.

— Nos bijoux sont tous des pièces uniques qui ont été créées par des artistes locaux, expliqua la jeune femme en sortant de la vitrine une dizaine d'écrins tapissés de velours écarlate et en les posant sur le comptoir avec d'infinies précautions.

— Comme ma fiancée est unique, elle aussi, cela tombe bien.

— Personne ne m'avait encore fait un tel cadeau, murmura Selina quand elle sortit de la boutique et qu'un rayon de soleil vint caresser l'élégante torsade incrustée de diamants et de rubis qui scintillait à son annulaire gauche.

— A vous entendre, on croirait que je vous ai offert les joyaux de la Couronne.

— Vous ne trouvez pas que cette bague est une pure merveille ?

— Non. N'importe quelle jolie fille pourrait en avoir une semblable à son doigt, car certains hommes sont prêts à gaspiller des centaines de dollars pour séduire une femme et des milliers pour la remercier de leur avoir cédé.

— Vous voulez dire que la récompense doit être proportionnelle au... service rendu, et que, si j'avais accepté de monter boire un dernier verre dans votre chambre hier, vous auriez été plus généreux ?

— Exactement. Tout s'achète en ce bas monde, y compris l'amour.

— Moi, je ne suis pas à vendre.

— Quand vous m'avez souri lundi soir et que vous avez entrouvert le col de votre chemisier, j'ai cru que vous l'étiez.

— Mais vous vous êtes trompé. Je ne suis ni cupide ni dévergondée, répondit sèchement Selina.

— Le petit jeu auquel vous jouez n'en reste pas moins dangereux.

— Puisque vous semblez l'avoir oublié, je vous rappelle que c'est mon grand-père et lui seul qui a eu l'idée de nous « fiancer ». En ce qui me concerne, je me serais bien gardée de mener Marta Hunter en bateau.

— Parce que vous aimez trop la vérité pour interpréter un rôle de composition ?

— Oui.

— Plus je bavarde avec vous, plus vous m'intriguez. Si vous détestez l'hypocrisie, comment se fait-il que vous m'ayez rendu mes baisers et que vous n'ayez pas voulu passer la nuit avec moi ? Une femme telle que vous ne devrait pas avoir peur d'obéir à son instinct.

Selina se laissa tomber sur l'un des bancs de pierre alignés le long de la palmeraie et écouta chantonner la cascade qui batifolait de rocher en rocher à l'ombre des arbres.

— Ce n'est pas par lâcheté que j'ai refusé de vous suivre dans votre chambre hier, c'est par prudence. J'ai eu quelques... déboires autrefois et, depuis, je suis devenue très méfiante à l'égard des hommes.

— Vous avez raison de ne pas croire aveuglément ce qu'ils vous racontent. Tous ceux que je connais sont d'horribles phallocrates et de fieffés menteurs.

— Cela vous va bien de les critiquer, vous qui êtes le roi des machos et des beaux parleurs ! répliqua la jeune femme.

— A Zohra-zbel, mon père est le seul à avoir droit au titre de roi.

— Qui lui succédera quand il sera trop vieux pour gouverner ?

— Denya, mon frère aîné. Moi, je ne suis que le benjamin de la famille et, à moins d'un malheureux concours de circonstances, il est peu probable que je monte un jour sur le trône.

— Vous auriez préféré être le prince héritier ?

— Non. Si Denya me demandait de prendre sa place, je refuserais sans hésiter, parce que j'aime mieux aller ouvrir des ambassades au bout du monde et flirter avec de jolies étrangères que de périr d'ennui dans les hautes sphères de la politique et perdre mon temps à explorer les arcanes du pouvoir.

Kamar s'assit à côté de Selina et l'enveloppa d'un regard acéré.

— Vous avez habilement détourné la conversation, mais c'est de vous que nous parlions, lui rappela-t-il. Puisque je suis censé me marier avant la fin de l'été, il est normal que j'interroge ma future épouse, vous ne croyez pas ?

— Que voulez-vous savoir ?

— Ce que font vos parents.

— Mon père est décédé quand j'avais douze ans.

— Oh ! excusez-moi. Le mien est trop strict à

mon goût, mais j'apprécie ses conseils et je serai effondré le jour où il me quittera.

— C'est lui qui vous a élevé ?

— Oui, avec l'aide de plusieurs nourrices. Ma mère est morte à ma naissance et personne ne m'a donné l'affection dont elle m'aurait entouré si elle avait survécu à l'accouchement.

— Qui a choisi le prénom que vous portez ?

— Elle, juste avant de rendre l'âme. Dans le dialecte de mon peuple, le mot « Kamar » désigne la Lune et « Denya », la Terre. Dès mon plus jeune âge, j'étais donc destiné à n'être que le satellite de mon frère.

— Drôle de coïncidence ! « Selina » signifie « l'astre de la nuit ».

— Allez raconter cela à Marta Hunter et elle sautera de joie. Les lecteurs du *National Devourer* adorent ce genre de détail.

— Comment pouvez-vous l'affirmer ? Vous lisez la presse à scandale ?

— A l'occasion. Quand j'aperçois ma photo en couverture d'un tabloïd, j'achète le journal pour voir quelles idioties le rédacteur en chef a encore inventées… Mais revenons à notre sujet, voulez-vous ? C'est moi qui suis censé vous interroger et non pas l'inverse.

— Qu'aimeriez-vous savoir d'autre ?

— Ce qui vous est arrivé après la mort de votre père. Avez-vous sombré dans le désespoir ou réussi à surmonter votre chagrin ?

La question, posée d'une voix pleine de sollicitude, ébranla le mur de silence et d'oubli que Selina avait patiemment érigé entre son passé et elle.

— Audray, ma mère, s'est remariée avec un sale type qui a essayé de me violer l'été de mes quinze ans, avoua-t-elle tout à trac. Un samedi soir, alors que je somnolais devant la télévision, il s'est jeté sur moi et m'a arraché mon chemisier.

— Comment vous êtes-vous défendue ?

— En le griffant, en le mordant et en lui donnant des coups de pied dans le bas-ventre. Je ne lui ai pas fait mal, mais ma réaction a dû l'étonner, car il a lâché prise et s'est effondré au pied du canapé.

— Où était votre mère pendant ce temps-là ?

— A l'autre bout de la ville. Elle était barmaid à l'époque et, le week-end, il lui arrivait souvent de travailler jusqu'au petit matin.

— Dès son retour à la maison, elle a appelé la police, je suppose ?

— Non. Et c'est bien cela le pire. Quand je lui ai raconté ce qui s'était passé, elle m'a traitée de menteuse et m'a mise à la porte.

— Aucune mère n'aurait le cœur de jeter sa fille à la rue dans de telles circonstances, murmura Kamar, les yeux agrandis d'incrédulité.

— La mienne n'a pourtant pas hésité à me chasser de sa vie, rétorqua Selina. Elle venait d'accoucher d'un petit garçon et n'aurait pas eu les moyens de l'élever décemment si elle avait demandé le divorce.

— Vous n'allez tout de même pas lui chercher des excuses ?

— Les psychologues que j'ai consultés m'ont dit que je ne pourrais retrouver un certain équilibre qu'après lui avoir pardonné. Alors, j'ai essayé de comprendre ce qui l'avait poussée à agir comme elle l'avait fait et je pense y être arrivée.

— L'avez-vous revue depuis la tentative de viol dont vous avez été victime ?

— Oui, une fois. Quand j'ai décroché ma maîtrise, elle a assisté à la remise des diplômes avec Nicky, mon demi-frère.

— Quel âge avait-il à cette époque-là ?

— Six ans. Il était tellement mignon que j'aurais voulu passer des heures et des heures à m'occuper de lui, mais je n'étais qu'une étrangère à ses yeux et il m'a à peine adressé la parole. Dès qu'il sera capable de monter seul dans un train, je l'inviterai à Washington et je m'efforcerai de rattraper le temps perdu.

— Où habite votre mère actuellement ?

— A New York. Elle n'a ni divorcé ni déménagé.

— Comment s'appelle son mari ?

— Donald Lassiter.

— Avez-vous eu des nouvelles de ce salaud depuis que vous avez quitté la maison ?

— Non. Il n'a pas cherché à me revoir, Dieu merci. Mon grand-père lui a dit que, s'il s'avisait de me relancer, il lui casserait la figure.

— A sa place, j'aurais réagi de la même manière.

— Sans l'affection qu'il m'a donnée, je ne sais pas ce qui me serait arrivé. C'est lui qui m'a recueillie et qui a pris soin de moi jusqu'à ma majorité.

— Vous avez eu de la chance de ne pas rester seule après la terrible épreuve que vous aviez traversée.

— Je le sais. Les trois quarts des adolescentes qui sont victimes d'un viol au sein de leur famille se retrouvent à la rue du jour au lendemain et n'ont pas d'autre choix que de mendier ou de se prostituer pour survivre.

— Vous, grâce à l'amour que vous avez reçu et au

soutien que vous ont apporté les psychologues dont vous m'avez parlé, vous êtes devenue une superbe jeune femme, indépendante et équilibrée.

— Oh ! il ne faut rien exagérer. J'ai encore des progrès à faire avant de pouvoir enterrer le passé.

— Mais vous avez déjà parcouru la moitié du chemin et, avec l'aide de votre grand-père, je suis certain que vous vous en sortirez.

Etonnée d'avoir osé se confier à un étranger, Selina se leva du petit banc de pierre où Kamar et elle s'étaient assis côte à côte comme des amis de longue date, puis ajusta sur son épaule la bandoulière de son sac et s'éloigna de la palmeraie.

— Maintenant que vous m'avez expliqué ce qui vous était arrivé, déclara-t-il en la rattrapant, je comprends mieux pourquoi vous avez refusé de monter dans ma chambre hier. A partir d'aujourd'hui, je vous promets de ne plus vous importuner. Tant que vous ne serez pas prête à baisser votre garde, j'éviterai de vous brusquer.

— Tant que je ne serai pas prête à baisser ma garde ! répéta Selina, la tête en plein brouillard. Que voulez-vous dire par là ?

— Vous le savez très bien. Dès que vous êtes entrée dans le bar de l'hôtel lundi soir, j'ai eu terriblement envie de vous, mais, après ce que vous venez de me confier, je ne me sens pas le droit de brûler les étapes. Si vous souhaitez qu'il y ait entre nous autre chose qu'une simple amitié, il faudra donc que vous fassiez le premier pas.

— Les hommes que j'ai rencontrés jusqu'à présent se sont imaginé qu'il leur suffirait de m'emmener au restaurant pour que je me jette à leur cou et que je leur offre ce dont ils rêvaient.

— Moi, je suis différent. J'ai grandi au milieu du désert, loin du tumulte de New York, et les précepteurs que ma famille avait engagés m'ont appris à être patient.

— Peut-être pourrons-nous dîner ensemble quand nous aurons regagné Washington, lui dit Selina avec un sourire.

— Si j'accepte le poste d'ambassadeur qu'on m'a proposé, je m'installerai aux Etats-Unis et je sais qu'un jour viendra où vous n'aurez plus ni la force ni l'envie de me résister.

— Qu'est-ce qui vous permet de l'affirmer ?

— Mon intuition masculine. Et elle ne m'a encore jamais trompé.

— Il y a un début à tout.

— Pas nécessairement. La passion qui est au

fond de vous finira par triompher de vos peurs, j'en suis sûr.

— Ce qui prouve que vous me connaissez mal. Je suis quelqu'un de très froid et de très pondéré.

— Vous, froide et pondérée ? Vous plaisantez ! En dépit du mal que vous vous donnez pour cacher votre vraie nature, vous êtes aussi flamboyante que le cœur en rubis qui orne votre bague.

— Faux ! Grâce aux cours de yoga que j'ai pris ces dernières années, j'arrive mieux que personne à maîtriser mes émotions.

— Hier, vous m'avez démontré que j'avais tort de me croire populaire. Aujourd'hui, c'est à mon tour de vous ôter vos illusions. A cause de ce que vous a fait subir ce Donald Lassiter autrefois, vous vous méfiez des hommes comme de la peste et vous vous imaginez qu'aucun d'eux ne pourra vous séduire, mais moi, je sais que vous vous trompez et que je réussirai à briser votre carapace.

Irritée de voir un sourire suffisant arquer les lèvres de Kamar, Selina s'apprêtait à lui répondre vertement lorsqu'elle aperçut son grand-père en charmante compagnie. Assis au bord de l'Oasis, la plus belle piscine de La Luna, il bavardait avec une jolie quinquagénaire qui semblait n'avoir d'yeux que pour lui.

— Où étais-tu, ma chérie ? demanda-t-il à sa petite-fille.

— Kamar et moi sommes allés nous promener dans la galerie marchande et il m'a offert une bague, l'informa-t-elle en agitant sa main au-dessus de sa tête afin que Marta Hunter, qui pianotait sur le clavier de son ordinateur portable, à quelques mètres du solarium, puisse admirer le bijou.

— J'ai choisi un cœur en rubis parce que cette pierre symbolise la passion que m'inspire Selina, lança Kamar.

— Comme c'est romantique ! s'exclama la nouvelle amie de Jérôme.

— Sellie, je te présente Emma Forsythe, déclara ce dernier d'une voix pleine d'entrain. Je me suis inscrit aux cours d'aquagym cet après-midi et c'est là que j'ai fait sa connaissance.

— Ravie de vous rencontrer, madame, jeta poliment Selina. Vous êtes venue à La Luna pour vous reposer ?

— Non, je suis historienne et ma fille Cynthia m'aide à écrire un livre, répliqua Emma en désignant du doigt la jeune femme blonde qui était recroquevillée au bord de la piscine et qui semblait avoir peur de son ombre.

— Cela vous plairait-il de dîner avec le prince Asad et moi ce soir ? lui proposa Selina.

— Oh ! je ne voudrais pas vous déranger, lâcha Cynthia, le front écarlate.

— Si vous aimez le parapente, mademoiselle, lui dit Kamar, vous n'aurez qu'à descendre nous rejoindre sur la plage demain matin.

— Merci de votre invitation, mais je… je déteste ce genre de sport.

— Eh bien ! pas moi, s'exclama Selina. Pour une fois qu'on me donne l'occasion de voler, je ne vais pas la manquer.

— Dans la vie, il faut savoir prendre des risques, murmura malicieusement Kamar à l'oreille de sa pseudo-fiancée.

10.

— Je ne comprends pas que tu oses me demander une chose pareille, lança Joyce Phipps-Stover à son mari. Si je retourne à Reno et que je vends ma boutique de Saint Paul en catastrophe, je perdrai des dizaines de milliers de dollars et je serai incapable de rembourser l'argent que mes amis m'ont prêté le jour où j'ai décidé d'ouvrir un magasin.

— Moi, ce sont mes élèves que je n'ai pas le droit d'abandonner, rétorqua Brian en jetant sa valise vide au fond d'un placard et en refermant la porte du dressing avec un claquement sec.

— Tes élèves ! Depuis qu'on t'a nommé directeur de la section littéraire du lycée de Reno, tu n'as que ces mots à la bouche.

— Forcément ! Il y a des années que je rêve d'occuper un poste à responsabilités. Alors maintenant que le proviseur m'en a confié un, tu penses bien que je ne vais pas tout laisser tomber pour aller vivre en Antarctique.

— La région de Minneapolis n'est pas aussi glaciale que tu as l'air de le croire. Il y fait moins froid en hiver qu'à Boston ou à Chicago.

— Dans le nord du Nevada, le thermomètre descend rarement au-dessous de zéro degré tandis qu'à Saint Paul les trottoirs sont couverts de neige dès la fin du mois de novembre.

— Je ne sais pas ce qui te plaît à Reno. C'est une affreuse petite ville qui voudrait ressembler à Las Vegas et où on trouve davantage de casinos que d'églises et de jardins publics.

— Les maisons de jeu, les cabarets et les clubs de strip-tease sont regroupés autour des vieux saloons du centre. Dans la banlieue, il n'y a que des quartiers résidentiels où nos futurs enfants pourront grandir en toute sécurité.

— A ta place, j'éviterais d'aborder ce sujet, s'écria Joyce, le buste frémissant.

Agée de vingt-quatre ans, elle avait décidé d'attendre son trentième anniversaire pour devenir maman, mais, impatient de fonder une famille, Brian avait eu le toupet de jeter à la poubelle les deux boîtes de pilules contraceptives qu'elle avait rangées dans l'armoire à pharmacie de leur salle de bains.

— Je suis né à Reno, lui rappela-t-il d'un ton abrupt. Il est donc normal que je m'y plaise.

— Moi, je n'y ai passé que quelques semaines depuis notre mariage et j'ai bien cru que j'allais y mourir d'ennui, riposta Joyce, au comble de l'agacement. Quand nous nous sommes disputés pendant nos dernières vacances et que je suis retournée à Saint Paul au lieu de te suivre dans le Nevada, j'ai eu l'impression de revivre.

— Tout le problème est là. Tu n'aimes rien de ce que j'aime, et dès que je te demande une faveur, tu préfères t'enfuir à l'autre bout du pays plutôt que de faire le moindre sacrifice.

Blême de colère, Brian traversa au pas de charge le salon de la luxueuse villa que Merry Montrose leur avait louée au cœur de la palmeraie et sortit de la maison sans prendre la peine de refermer derrière lui la porte du vestibule.

— S'ils savaient ce qui les attend, les pauvres, ils réfléchiraient à deux fois avant de s'engager, maugréa Joyce en collant son front à la baie vitrée du séjour et en voyant des amoureux échanger leurs serments sous l'œil bienveillant d'un pasteur.

Six mois plus tôt, c'étaient Brian et elle qui

s'étaient mariés sur la plage, mais aucun d'eux ne se doutait alors que d'incessantes querelles les dresseraient l'un contre l'autre et qu'ils n'arriveraient pas à trouver ensemble le bonheur dont ils rêvaient.

Le crâne martelé par une violente migraine, Joyce s'engouffra dans la vaste cuisine qu'un claustra enguirlandé de lierre panaché isolait du salon, puis s'approcha du plan de travail qui formait un îlot au centre de la pièce. Elle allait remplir d'eau le réservoir du percolateur quand toutes les lumières de la maison s'éteignirent d'un seul coup.

— Il ne manquait plus que ça ! grommela-t-elle avant de se diriger à tâtons vers le téléphone et de composer à la faveur d'un rayon de lune le numéro de la réception.

Cinq minutes après avoir demandé à Lilith Peterson de lui envoyer un réparateur, elle vit s'encadrer dans l'embrasure de la porte la haute silhouette d'Alec, le nouveau factotum de La Luna. Vêtu d'un short kaki et d'un polo blanc, il ressemblait à s'y méprendre au mannequin-vedette dont les cheveux blonds, le teint hâlé et le sourire ravageur avaient ensoleillé la couverture en papier glacé du dernier numéro de *Gentlemen's Quarterly.*

— Il y a eu un court-circuit, jeta Joyce en lissant

d'un doigt nerveux la tunique translucide qu'elle avait enfilée par-dessus son Bikini. Comme j'avais mal à la tête, j'ai voulu me préparer une tasse de café, et, au moment où j'allais verser un peu d'eau dans le réservoir du percolateur, les plombs ont sauté.

— Ne vous inquiétez pas, je vais les remplacer, déclara Alec avant de poser sa boîte à outils au milieu de la cuisine et de faire coulisser le panneau de bois derrière lequel se trouvait le tableau de fusibles. Quand j'ai longé la palmeraie, tout à l'heure, un homme en smoking bleu nuit et une jeune femme habillée de blanc échangeaient leurs alliances au bord de l'océan, ajouta-t-il de sa voix richement modulée. Et il paraît qu'ils ne sont pas les seuls clients de l'hôtel à s'être dit « oui » sous les yeux du personnel. Comment expliquez-vous cette épidémie de mariages ?

— Peut-être est-ce Mme Montrose qui, grâce à ses talents d'entremetteuse, donne envie aux gens de fonder un foyer. La première fois que je suis descendue à La Luna, elle m'a présenté Brian Stover et je suis tombée amoureuse de lui.

— A quand cela remonte-t-il ?

— Au début de l'année. Nous étions tellement impatients de vivre ensemble qu'il m'a demandé ma main bien avant la fin de nos vacances. Et je la lui ai accordée.

— Si vous êtes revenus en Floride cet été, c'est pour y passer une seconde lune de miel, j'imagine ? questionna Alec après avoir remplacé le fusible qui avait sauté et avoir refermé le panneau de bois.

— En quelque sorte, oui, répondit Joyce, le regard rivé à la fenêtre de la cuisine.

En voyant une jeune femme aux longs cheveux cuivrés valser dans les bras de son séduisant cavalier, elle sentit des larmes lui brûler les paupières.

« Dommage que Brian et moi ne puissions pas les imiter ! » pensa-t-elle tristement.

De tous les plaisirs qu'avait goûtés Kamar jusque-là, danser sur la plage avec Selina était de loin le plus exquis. Les yeux mi-clos et la nuque ployée en arrière, elle tournoyait sur les accents fluides du *Beau Danube bleu*.

— Lundi soir, je vous ai mal jugé, murmura-t-elle quand l'orchestre du Banyan changea de partition et que les premières notes de *Love Me Tender* s'élevèrent de la terrasse du restaurant. J'ai cru que vous étiez dédaigneux, autoritaire et imbu de vous-même, mais je me suis aperçue depuis que votre personnalité était bien plus complexe que cela.

— Ce sont les femmes qui ont un esprit alambiqué. Les hommes, eux, sont très faciles à cerner.

— Il paraît effectivement qu'ils n'ont que des défauts et qu'on n'a donc pas besoin d'avoir étudié la psychologie pour pouvoir les cataloguer. Quelqu'un que je ne nommerai pas m'a dit qu'ils étaient tous d'horribles phallocrates et de fieffés menteurs.

— Touché ! s'exclama Kamar avant de resserrer son étreinte et d'enfouir son visage dans les cheveux de Selina. Vous avez un tel sens de la repartie que discuter avec vous est un vrai bonheur. Quand vous daignerez enfin m'accorder votre confiance — car vous me l'accorderez tôt ou tard, j'en suis persuadé —, je ne m'ennuierai pas à vos côtés.

— Si vous deviez quitter un jour les Etats-Unis et regagner Zohra-zbel, nous n'aurions plus jamais l'occasion de nous chamailler.

— Ce qui serait dommage, avouez-le !

— Cela dépend du point de vue où l'on se place.

« Dès que mes vacances à La Luna seront terminées, j'accepterai le poste d'ambassadeur qu'on m'a proposé et je m'installerai pour de bon à Washington », se dit Kamar, en imaginant, l'espace d'un battement de cœur, l'ineffable plaisir qu'il prendrait à inviter Selina dans la somptueuse résidence de Georgetown qu'il avait sélectionnée et à lui faire l'amour sous les stucs des hauts plafonds.

11.

— Quelle idée de vouloir faire du parapente ! bougonna Merry Montrose le lendemain matin, quand elle dévala à la suite de Kamar et de Selina le chemin bordé d'hibiscus qui menait à la plage et que, l'oreille aux aguets, elle les entendit parler de leurs projets.

Ce qu'il fallait, ce n'était pas qu'ils fendent l'air à cinquante mètres l'un de l'autre, c'était qu'ils restent ensemble sur la terre ferme, qu'ils tombent amoureux et qu'ils se marient. Mais comment les empêcher de gaspiller une aussi belle journée ?

Perplexe, Merry s'adossa au tronc d'un palmier pour reprendre son souffle, puis admira la course vagabonde d'un petit nuage iridescent qui dérivait au-dessus de La Luna. Elle sentit un sourire lui taquiner les lèvres. Bien que Lissa lui eût interdit de proférer des incantations, elle allait certainement pouvoir transformer cet infini bleuté en un ciel de plomb où seuls oseraient s'aventurer des parapentistes chevronnés.

— Petit nuage, petit nuage, psalmodia-t-elle, un doigt braqué sur l'horizon, si tu ne veux pas que j'enrage, envoie-nous des trombes d'eau et tâche de remplir nos… Ah, flûte ! marmonna-t-elle, la tête embrumée. Qu'est-ce qui rime avec « eau » ?

Le mot « tuyaux » lui traversa l'esprit, mais de peur que les robinets de l'hôtel ne se mettent à fuir sous l'effet d'une trop forte pression, elle jugea plus prudent de ne pas le prononcer.

— Petit nuage, petit nuage, répéta-t-elle d'un ton excédé, si tu ne veux pas que j'enrage, envoie-nous des trombes d'eau et c'est tout.

A peine avait-elle achevé sa phrase et fulminé contre son manque d'inspiration que, poussé par le vent, un bataillon de cumulonimbus vint raser les toits de La Luna et se liquéfier sur la grève.

— Ah, mince ! s'écria Selina en sentant la pluie ruisseler le long de son cou et en s'abritant sous la capuche de son sweat-shirt. Nous n'allons pas pouvoir faire de parapente aujourd'hui.

— Ni rester dehors, grommela Kamar, les cheveux dégoulinants.

— Moi qui rêvais de m'envoler comme un oiseau, je suis très déçue.

— J'ai une autre activité à vous proposer, mais je doute qu'elle vous plaise.

— De quoi s'agit-il ?

— D'une exploration, à la fois sportive et romantique, du septième ciel. Le trois pièces que j'occupe au dernier étage de La Luna est joliment meublé et, si vous acceptiez de monter le visiter, vous y passeriez une ou deux heures inoubliables.

— Prétentieux ! se moqua Selina avant de rabattre sa capuche sur son front pour se protéger des rafales qui la cinglaient. Après ce que je vous ai confié hier, ajouta-t-elle, vous savez bien que je ne suis pas du genre à coucher avec le premier venu.

— Maintenant que nous sommes « fiancés », je croyais que j'aurais droit à un traitement de faveur.

— Vous voudriez peut-être que je me jette à vos pieds et que je vous jure amour et fidélité ?

— Oh, oui ! J'en rêve.

— Au lieu de rester plantés là et de débiter des sottises, nous devrions prendre le ferry et aller faire un tour à Locumbia.

— Bonne idée ! Quand je suis arrivé à l'aéroport de Miami lundi dernier, j'ai loué une Porsche aussi racée et flamboyante que vous. Etes-vous déjà montée dans une décapotable ?

— Non. Aucune de mes amies de Washington n'aime rouler, les cheveux au vent.

— Vous, vous adorerez cela, j'en suis persuadé. Lorsque j'accélérerai, vous aurez tellement peur d'être éjectée que je vous serrerai dans mes bras pour vous réconforter.

— Trop aimable !

— N'est-ce pas le rôle d'un galant homme de protéger l'élue de son cœur ?

— Je vous trouve bien chevaleresque tout à coup. La pluie vous aurait-elle détraqué le cerveau ?

— Au contraire ! Je n'ai jamais été plus lucide que ce matin.

Le front emperlé de gouttelettes irisées, Kamar attira Selina à lui et promena amoureusement ses lèvres sur les joues humides de la jeune femme.

— Qu'est-ce qui vous prend ? s'indigna-t-elle en essayant vainement de se dégager. Je croyais que vous deviez me laisser tranquille tant que je ne serais pas prête à baisser ma garde.

— Pardon d'avoir manqué à ma parole, mais je n'ai pas eu le choix, murmura-t-il. Marta Hunter est juste derrière vous et elle nous observe.

— Rien ne la décourage, celle-là ! maugréa Selina. Même si un ouragan et un raz de marée dévastaient La Luna, elle trouverait encore le moyen de venir nous casser les pieds.

— A supposer qu'elle nous voie grimper à bord du ferry et qu'elle nous suive jusqu'à Locumbia, nous n'aurons pas de mal à la semer. La Porsche que j'ai louée a des accélérations foudroyantes et je connais peu de voitures qui seraient capables de la doubler.

— Dépêchons-nous de retourner à l'hôtel et de monter nous changer.

— Pourquoi voulez-vous vous débarrasser de votre sweat-shirt et de votre maillot de bain ?

— Parce qu'ils sont trempés et que je n'ai pas envie d'attraper une pneumonie.

— Moi, j'adore votre Bikini. Il est tellement minuscule qu'il ne masque rien ou presque de vos charmes.

— Raison de plus pour que je m'habille décemment ! s'exclama Selina avant de repousser les bras qui la ceinturaient et de quitter la plage à grandes enjambées.

Locumbia était une charmante petite ville dont les maisons aux façades rechampies de tons pastel encerclaient un immense parc à l'anglaise d'où jaillissaient les tours quadrangulaires des édifices publics.

— Dans le guide que j'ai acheté sur le ferry, il est écrit que la mairie a été construite en 1809 et rénovée au début des années 30, lança Selina. C'est là, paraît-il, que se réunissent à la fin de chaque mois les administrateurs du comté de Loveland.

Kamar poussa la porte du vieux bâtiment et attira la jeune femme à l'intérieur d'un vaste hall dont les cloisons étaient couvertes de fresques à la mémoire des premiers habitants de la région.

Emerveillée, elle s'approcha d'un tableau suspendu à une cimaise et allait effleurer le cadre du bout des doigts lorsque le flash d'un appareil photo l'aveugla.

— Il a fallu que vous preniez le bac et que vous nous suiviez jusqu'ici, hein ? jeta-t-elle à Marta Hunter en se retournant et en l'assassinant du regard. Vous ne pouviez pas rester à La Luna et nous laisser tranquilles ?

— Désolée de vous avoir éblouie, mademoiselle Carrington, répliqua la journaliste, mais je ne fais que mon travail. Si le prince Asad et vous êtes venus à la mairie de Locumbia pour demander à l'officier de l'état civil de vous délivrer une licence de mariage et que j'immortalise la scène, mon cliché vaudra des milliers de dollars et on parlera de moi dans le monde entier.

— Que vous soyez riche ou pauvre, célèbre ou inconnue, je m'en moque. Tout ce que je veux, c'est que vous nous fichiez la paix. Vous avez compris ?

Ignorant la question, Marta Hunter alla s'asseoir à l'autre bout du hall et arma son Nikon avec une incroyable désinvolture.

— Avant-hier, pendant que nous naviguions à bord du *Golden Star*, vous m'avez accusé de ne pas connaître le sens du mot « diplomatie », glissa Kamar à Selina, mais j'ai l'impression que vous l'avez également rayé de votre vocabulaire.

— Il y a des circonstances dans la vie où il faut être ferme.

— Comme votre accès de colère ne semble pas avoir découragé Mlle Hunter, il vaudrait mieux que nous fassions ce qu'elle attend de nous.

— A savoir ?

— Que nous réclamions aux autorités une dispense de publication des bans et que nous permettions à cette poison de nous photographier. Une fois qu'elle le tiendra, son précieux cliché, nous pourrons respirer.

— Serons-nous obligés de signer des papiers ?

— Non. Je dirai à l'officier de l'état civil que nous les enverrons au tribunal par la poste.

— Puisqu'il n'y a aucun risque, pourquoi hésiter ? murmura Selina avant de montrer sa carte d'identité à un employé de la mairie et de remplir l'imprimé qu'il avait extirpé d'un classeur. La voilà, notre licence de mariage ! jeta-t-elle ensuite en se retournant vers Marta Hunter et en brandissant le document.

— Merci, mon Dieu, s'écria la journaliste, son Nikon au poing.

— Laissez Dieu là où il est et allez au diable ! Maintenant que vous avez eu ce que vous vouliez, vous devriez rentrer à La Luna et finir de rédiger le fabuleux article grâce auquel vous roulerez bientôt sur l'or.

12.

— *Ixzit !* s'exclama Kamar en descendant du ferry au coucher du soleil.

— Que veut dire ce mot ? lui demanda Selina.

— Il m'est impossible de le traduire sans heurter la bienséance, mais sachez que, quand les habitants de Zohra-zbel l'emploient, c'est généralement parce qu'ils sont de mauvaise humeur. Vous avez vu qui nous attend de pied ferme au bout du quai ? Cette peste de Marta Hunter !

— Comme elle a quitté la mairie avant nous ce matin et qu'elle s'est ensuite évanouie dans la nature, il est normal qu'elle soit venue nous accueillir à notre retour. Cela a dû lui coûter de rentrer à La Luna pendant que nous allions visiter les environs de Locumbia et de ne pas pouvoir nous espionner.

— Vous avez passé une bonne journée ?

— Oui, je vous remercie. La petite auberge où nous avons déjeuné à midi était ravissante et la leçon de conduite que vous m'avez donnée à la sortie du restaurant m'a amusée. Moi qui n'étais montée jusque-là que dans des voitures automatiques, j'ai trouvé très excitant d'apprendre à piloter un bolide.

Selina posa nonchalamment son bras sur la vitre baissée de sa portière et balaya le ponton des yeux.

— Qui est à côté de Mlle Hunter ? demanda-t-elle à Kamar, aveuglée par les derniers feux du couchant.

— Merry Montrose, la directrice de l'hôtel.

— Comment se fait-il qu'elle soit venue nous attendre à notre descente du ferry ?

— J'aimerais bien le savoir.

— Pourvu que mon grand-père n'ait pas eu un malaise pendant que nous étions à Locumbia ! murmura Selina, soudain inquiète.

— Il a le cœur fragile ?

— Pas à ma connaissance. Mais avec la vie trépidante qu'il mène, cela ne m'étonnerait pas qu'il soit un jour obligé de mettre un frein à ses activités.

Après avoir dévalé le quai à une vitesse qu'aucun

radar n'aurait pu enregistrer, Kamar s'arrêta net au bout du débarcadère et gratifia Merry d'un sourire.

— Quelle surprise de vous trouver là à une heure aussi tardive, madame Montrose ! lui dit-il. Il n'est rien arrivé de grave à M. Carrington, j'espère ?

— Non, non, ne vous inquiétez pas, jeta-t-elle d'une voix chevrotante. La dernière fois que je l'ai aperçu, il était en train de dîner au Banyan avec Emma Forsythe et il avait l'air au mieux de sa forme.

« Pauvre femme ! songea Selina en voyant la directrice de l'hôtel s'incliner vers la décapotable et esquisser une grimace de douleur. Elle doit avoir des rhumatismes comme toutes les personnes de son âge et souffrir le martyre à chaque mouvement. »

— Il paraît que vous êtes allés retirer une dispense de publication des bans à la mairie de Locumbia, lança Merry à Kamar.

— C'est exact, confirma ce dernier. Qui vous a parlé de cela ?

— Mlle Hunter. Je l'ai croisée dans les jardins de La Luna à l'heure du déjeuner et elle m'a raconté votre escapade. Avez-vous signé l'imprimé que vous a donné l'officier de l'état civil ?

— Pas encore. Pourquoi cette question ?

— Parce qu'il ne sert à rien d'inscrire son nom sur ce genre de document si on oublie ensuite de le parapher et de le faire valider.

— Quelle importance, puisque nous n'avons aucune envie de convoler ? murmura Selina juste avant que la sonnerie stridente d'un téléphone ne lui vrille les tympans.

Kamar sortit son mobile de la poche de son blazer et enfonça la touche « prise de ligne » du bout de l'index.

— Où avez-vous mis le formulaire dont Mme Montrose nous rebat les oreilles ? glissa-t-il à Selina après avoir demandé à son correspondant de patienter.

— Dans mon sac.

— Passez-le-moi, je vais le signer. Comme cela, plus personne ne pourra nous embêter jusqu'à la fin de notre séjour en Floride.

Trop étonnée pour soulever la moindre objection, la jeune femme extirpa de son fourre-tout la licence de mariage qu'elle avait réclamée par bravade à l'employé de la mairie de Locumbia et la tendit à Kamar, qui la parapha en deux traits de plume.

— A votre tour, mademoiselle Carrington ! lança Merry d'un ton péremptoire.

« De quoi se mêle-t-elle, cette vieille toupie ? s'indigna Selina, une fois revenue de sa stupeur. Au lieu de lui obéir, je devrais lui jeter l'imprimé à la figure et aller faire mes valises. »

Mais de crainte que Marta Hunter ne décrive l'esclandre dans le prochain numéro du *National Devourer*, elle sortit un stylo de son sac et apposa docilement sa signature au bas du formulaire.

— Vous trouvez normal que la directrice de La Luna nous ait obligés à valider notre dispense de publication des bans et qu'elle m'ait ensuite arraché le papier des mains ? demanda-t-elle à Kamar dès qu'il eut pris congé de son correspondant et que Merry eut regagné l'hôtel avec une hâte suspecte.

— Depuis les attentats du 11 septembre, les autorités de votre pays sont tellement soupçonneuses envers les étrangers que plus rien ne m'étonne, répliqua-t-il avant d'embrayer. Sans doute Mme Montrose a-t-elle eu envie de comparer le nom et l'adresse inscrits en haut de la licence à ceux qui figurent dans son registre.

— Si c'était de vous seul qu'elle se méfiait, elle ne m'aurait pas forcée à parapher le document.

— A moins de vouloir noyer le poisson. Comme le client est roi à La Luna et qu'elle aurait eu peur de me froisser en m'accablant de questions dès mon arrivée, elle a cherché un autre moyen de vérifier mon identité et, grâce à cette pie jacasse de Marta Hunter, elle l'a trouvé.

— Vous avez probablement raison.

Kamar se gara au pied de l'hôtel, puis sauta à bas de son siège et alla ouvrir la portière droite.

— Cela vous dirait-il de m'accompagner au Banyan ? demanda-t-il à Selina après l'avoir aidée à descendre du cabriolet.

— Oui, acquiesça-t-elle, mais je suis tellement fatiguée que je n'ai pas le courage de monter me changer.

— Quand vous vous mettez sur votre trente et un pour me plaire, comme vous l'avez fait mardi dernier, je me sens très flatté.

— Ce n'est pas pour éblouir qui que ce soit que je me pomponne certains jours, c'est parce que je manque de confiance en moi et qu'enfiler une jolie robe me rassure.

— Où aimeriez-vous que je vous emmène dîner ?

— Dans l'un des snacks dont nous a parlé Janis. Ensuite, nous irons flâner le long de l'océan et, si les musiciens du bar interprètent une nouvelle fois *Unforgettable*, nous danserons au clair de lune.

— Vaste programme ! s'exclama gaiement Kamar.

— Ils ne se quittent plus, ces deux-là, murmura Selina en glissant un œil par la fenêtre de sa chambre le lendemain après-midi et en voyant son grand-père s'asseoir à côté d'Emma Forsythe au bord de la piscine.

Ereintée par la leçon de Deltaplane que lui avait donnée l'un des moniteurs de La Luna à la fin de la matinée, elle se jeta sur son lit et succomba peu à peu au sommeil.

Quand une voix aux accents familiers, qui répétait sans arrêt les mêmes mots comme on récite une prière, perça l'épais brouillard dans lequel elle s'était enfoncée, elle se crut le jouet d'une illusion auditive et refusa d'ouvrir ses paupières, mais des coups frappés à la porte de sa suite l'empêchèrent de se rendormir.

— Qu'est-ce que… qu'est-ce qui vous arrive ? demanda-t-elle à Kamar lorsqu'elle tira le battant et qu'elle se trouva face à face avec lui.

— J'ai une mauvaise nouvelle à vous annoncer, grommela-t-il en brandissant une feuille de papier.

— Le propriétaire de la résidence de Georgetown a refusé votre offre ?

— Non, ce n'est pas de la maison qu'il s'agit, mais de nous. Pendant que nous faisions du Deltaplane ce matin, la directrice de l'hôtel est allée déposer notre dispense de publication des bans au tribunal de Locumbia et le juge l'a enregistrée.

— Vous plaisantez !

— En ai-je l'air ?

Les paupières encore lourdes de sommeil, Selina saisit le document que Kamar agitait sous son nez et le parcourut des yeux.

— Ce n'est pas possible, murmura-t-elle à la vue du gros tampon qui noircissait le bas de l'imprimé. Nous sommes vraiment mariés ?

— Il semblerait que oui. Marta Hunter est tellement impatiente de rédiger son fameux article qu'elle a dû mettre Mme Montrose dans sa poche et la pousser à se rendre au palais de justice dès le lever du soleil.

— Comment va réagir votre père s'il apprend que vous avez épousé une Américaine à son insu ?

— Très mal.

— Le seul moyen d'en finir avec cet imbroglio serait de faire annuler la procédure. Lundi matin, nous retournerons à Locumbia par le premier ferry et nous irons expliquer au juge ce qui s'est réellement passé.

— Vous croyez que nous arriverons à le convaincre de notre sincérité ?

— Il le faudra bien.

— Pourquoi patienter jusqu'à la semaine prochaine ?

— Parce que nous sommes déjà vendredi et que les tribunaux sont fermés le week-end. En plus de cela, je ne pense pas que ce soit une bonne idée de rétablir la vérité tant que le propriétaire de la maison de Georgetown ne s'est pas manifesté. Si Marta Hunter s'aperçoit que nous lui avons raconté des mensonges, elle se demandera ce qui vous a amené à La Luna, et une fois qu'elle aura découvert le pot aux roses, elle s'empressera de révéler aux abonnés du *National Devourer* l'adresse du futur ambassadeur de Zohra-zbel aux Etats-Unis.

— Mieux vaut effectivement ne pas lui mettre la puce à l'oreille, maugréa Kamar.

Il regagna son duplex et s'écroula sur le canapé du salon, l'esprit en effervescence.

Quand son frère aîné avait choisi d'épouser

Amira, une princesse saoudienne, les négociations entre les deux familles avaient duré un an et les noces avaient été célébrées en grande pompe dans la cour du palais où vivaient les rois de Zohra-zbel depuis la nuit des temps.

Malgré ses liaisons tapageuses avec des starlettes d'Hollywood, Kamar avait toujours su qu'il devrait tôt ou tard suivre l'exemple de Denya. Mais si Marta Hunter publiait les photos qu'elle avait prises de lui à la mairie de Locumbia, le scandale qui éclabousserait les Asad serait tel qu'aucune jeune femme de haute naissance ne voudrait lui accorder sa main.

— La seule chose qu'il me reste à faire, c'est de retourner en Afrique et d'essayer de limiter les dégâts, grommela Kamar avant d'empoigner son téléphone et d'appeler l'aéroport de Miami.

13.

« Pas de panique, surtout pas de panique ! se dit Selina après le départ de Kamar. Je suis mariée à un homme que je connais à peine et je ne sais pas ce que me répondra le juge quand je lui demanderai d'invalider la procédure, mais il ne m'est rien arrivé d'irrémédiable. Personne ne m'a agressée ni jetée à la rue comme l'été de mes quinze ans, je possède un joli studio au centre de Washington, j'exerce un métier palpitant et j'ai un merveilleux grand-père. Alors, de quoi pourrais-je me plaindre ? »

Craignant de se poser mille et une fois la question si elle passait la soirée seule dans sa chambre, elle troqua son short en jean et son sweat-shirt contre le corsage blanc et la jupe rouge qu'elle avait achetés à La Luna, puis noua ses cheveux en une épaisse queue-de-cheval et décida d'aller boire un verre là où elle avait essayé de vamper Kamar au début de la semaine.

— Félicitations ! lui lança Janis en la voyant se percher sur l'un des hauts tabourets alignés le long du comptoir. Il paraît que vous avez épousé le prince de Zohra-zbel à Locumbia.

— Qui vous a raconté cela ?

— Les employés de l'hôtel. L'île est tellement petite que les nouvelles s'y répandent comme une traînée de poudre.

— C'est bien ma veine !

— Si vous vouliez garder votre mariage secret, vous n'auriez dû vous mettre la corde au cou qu'une fois rentrée à Washington.

— Dommage que je n'y aie pas pensé ! s'exclama Selina avec un pâle sourire.

— Où est le cheik Asad ? lui demanda Janis après avoir posé devant elle une flûte de champagne.

— Dans son duplex. Il est en train de se préparer pour notre nuit de noces.

— Quand j'ai appris que vous aviez accepté de devenir sa femme, je me suis dit que la vie était pleine d'imprévu. Lundi dernier, vous avez eu l'air de trouver le prince particulièrement antipathique, et voilà que, quelques jours plus tard, vous l'épousez !

— Il est vrai que son attitude envers vous m'avait indignée, mais je me suis rendu compte ensuite que son arrogance n'était qu'une façade.

— A-t-il l'intention de vous emmener dîner au Banyan ce soir ?

— Je ne sais pas. Notre mariage a été si soudain qu'il n'a pas dû songer à réserver une table.

— A votre place, je lui donnerais rendez-vous dans l'une de ces ravissantes tonnelles que le propriétaire de l'île a fait bâtir à l'orée de la mangrove. Les pavillons sont meublés de hamacs ou de fauteuils en rotin, et comme leurs parois sont couvertes de végétation à cette époque de l'année, vous y serez à l'abri des regards indiscrets.

— Le rêve !

— Voulez-vous que l'un de mes collègues vous y accompagne ?

— Oui, répondit Selina en descendant de son tabouret, sa flûte à la main.

Après avoir empoigné la bouteille de dom pérignon que Janis avait posée sur le comptoir, elle quitta le bar avec des gestes d'automate et suivit un serveur tout de noir vêtu jusqu'à l'une des jolies gloriettes pavoisées de feuilles lancéolées qui érigeaient un rempart de verdure à l'extrémité de la plage.

— Lorsque je serai de retour à Washington, j'écrirai au patron de Merry Montrose et je lui demanderai de la licencier, marmonna-t-elle dès que son guide se fut éclipsé. De quel droit cette vieille sorcière s'est-elle permis d'apporter au juge de Locumbia un document qui ne la concernait pas ?

Mais que la directrice de La Luna perde ou non son emploi, cela ne changerait pas grand-chose à la situation. Si le magistrat qui avait tamponné la licence refusait de l'invalider, Selina resterait bel et bien enchaînée à Kamar.

— Pour le meilleur et pour le pire, dans la richesse et dans la pauvreté, jusqu'à ce que la mort me sépare de lui, ironisa-t-elle avant de vider sa flûte et de la remplir une nouvelle fois de champagne.

Les yeux voilés de larmes, elle regarda les étoiles s'allumer une à une au firmament et piqueter de lumière le velours sombre du ciel.

— Tu te fiches pas mal de ce que j'éprouve, hein ? lança-t-elle à la lune qui s'élevait, froide et hiératique, au-dessus des flots. A moins que de gros nuages noirs ne viennent masquer tes rayons, tu vas continuer à briller toute la nuit sans te préoccuper de mon chagrin.

Selina avala une longue gorgée de dom pérignon et plaqua le verre glacé sur sa joue brûlante.

— Je suis mariée, jeta-t-elle avec un petit sourire d'autodérision, mais il n'y a eu ni cérémonie religieuse ni banquet, et Kamar est tellement furieux d'avoir été piégé qu'il a préféré aller ruminer sa colère dans sa chambre plutôt que de me tenir compagnie. Pourquoi serions-nous restés ensemble, d'ailleurs ? Il n'est pas plus amoureux de moi que moi de lui. Après ce qui m'est arrivé il y a des années, aucun homme ne pourra m'aimer et je ne pourrai en aimer aucun.

Réprimant un frisson, Selina s'adossa au treillis de la gloriette et se rappela ce lointain week-end d'été où Donald Lassiter avait tenté de la violer. Le regard trouble, l'haleine avinée, il lui avait arraché son chemisier d'un coup sec, puis avait promené une main fiévreuse sur sa poitrine dénudée et avait essayé de lui écarter les genoux.

— La vie est un bol de cerises, ma chérie, avait déclaré son grand-père d'un ton lénifiant quand elle était allée frapper à sa porte le lundi suivant et qu'elle avait fondu en larmes dans ses bras. Jusqu'à présent, tu n'as eu droit qu'aux noyaux, mais, un jour, tu rencontreras un gentil garçon qui te traitera comme une princesse et qui te fera goûter à la chair parfumée des fruits.

Gentil, Kamar l'était au-delà de toute expression, malgré cette fâcheuse habitude qu'il avait de houspiller les employés de La Luna et de se croire supérieur aux humbles mortels. Si Marta Hunter et Merry Montrose ne s'étaient pas liguées pour les enchaîner l'un à l'autre, Selina aurait appris à mieux le connaître et serait peut-être tombée amoureuse de lui.

— Maintenant, il est trop tard, lança-t-elle aux étoiles. Trop tard, vous entendez ?

De la terrasse éclairée du bar, lui parvint en guise de réponse une musique aérienne que le roulement assourdi des vagues l'empêcha d'identifier.

Après avoir laissé tomber sur le sable sa flûte en cristal et la bouteille de champagne qu'elle venait de vider, elle s'avança vers la frange d'écume que l'océan avait déposée le long de la grève, puis retroussa sa jupe et tourbillonna, les yeux fermés.

— Oh ! non, s'exclama-t-elle quand les musiciens se mirent à jouer crescendo et qu'il lui sembla percevoir les derniers accords d'*Unforgettable*.

Cette chanson resterait éternellement associée dans sa mémoire aux baisers enflammés que

Kamar lui avait volés trois jours auparavant et auxquels jamais, plus jamais, elle n'aurait l'occasion de goûter.

Le corps secoué de sanglots, Selina s'approcha de la mangrove et allait s'effondrer au pied d'un arbre que le vent faisait frissonner lorsque deux bras lui encerclèrent les épaules.

— Ne pleurez pas, mon ange, chuchota Kamar. Ne pleurez pas, je vous en prie.

— Co… comment avez-vous su que j'étais sur la plage ? bredouilla Selina.

— Grâce à Janis. Je suis descendu boire un cocktail au bar et elle m'a dit qu'elle vous avait conseillé de venir passer la soirée ici.

— Vous êtes-vous excusé de l'avoir rabrouée lundi dernier ?

— Oui. J'ai même demandé au fleuriste de l'hôtel de lui livrer une gerbe de glaïeuls.

— Quel gentleman !

— N'est-ce pas ? La galanterie est une seconde nature chez moi.

— Et la modestie, vous connaissez ?

— Pas vraiment, mais j'ai beaucoup d'autres qualités.

— Citez-en deux.

— La patience et la délicatesse, riposta Kamar

en effaçant d'un doigt léger les grosses larmes qui roulaient encore le long des joues de Selina.

Le cœur au galop, elle chercha les lèvres qu'il s'amusait à lui dérober puis, les trouvant enfin, chaudes, avides, frémissantes, exhala une faible plainte, à peine un murmure. Le baiser s'épanouit, feu et velours entremêlés, et lui donna la curieuse impression de voguer hors du temps, hors de la réalité. Là était son bonheur, pensa-t-elle confusément. Là, sur cette petite île perdue au milieu de l'océan, dans les bras d'un homme à qui une vieille dame indigne avait eu le toupet de la marier.

— Que j'ai envie de vous, mon ange ! lança-t-il d'une voix saccadée dès que leurs bouches enfiévrées se furent séparées. Que j'ai envie de vous !

Electrisée par cet aveu qui résonnait à ses oreilles comme un chant d'amour, Selina dépouilla Kamar de la chemise en lin bleu marine dont il avait noué les pans au-dessus d'un gros ceinturon de cuir clouté et effleura son torse nu d'une main fébrile.

— Ne vous arrêtez pas, lui intima-t-il quand, de peur d'avoir l'air ridicule si elle s'aventurait au-delà de certaines limites, elle se figea, les prunelles dilatées. Touchez-moi, caressez-moi, déshabillez-moi…

Oubliant son manque d'expérience, elle palpa alors la lourde boucle métallique qui lui glaçait les doigts et en souleva l'ardillon.

Après avoir dégrafé le jean de Kamar, elle laissa l'étoffe délavée glisser le long de ses hanches et improvisa sur son sexe durci le plus audacieux des arpèges.

— Sellie… Oh ! Sellie, lâcha-t-il dans un murmure étranglé.

Puis, le cœur fou, l'esprit égaré, il défit une à une les perles de nacre qui fermaient le chemisier de la jeune femme, repoussa les bretelles de son soutien-gorge et libéra de leur carcan les globes de chair satinée qu'un rayon de lune éclairait.

— Vous êtes belle, aussi belle que je l'imaginais, chuchota-t-il en enveloppant d'un regard ébloui les trésors qu'il venait de dénuder.

« Au diable mes peurs et mon passé ! » se dit Selina, ivre d'impatience. Répondre une fois, une seule et unique fois, au mystérieux appel du plaisir, se griser de volupté au point d'en perdre la mémoire et basculer dans ce monde magique de l'extase que décrivaient à mots couverts ses amies de Washington, rien d'autre ne lui importait.

Quand Kamar déboucla la ceinture de sa jupe avec une lenteur obsédante, comme s'il voulait attiser sa fièvre jusqu'à la rendre douloureuse, elle se cambra pour l'aider à écarter les pans de soie qui bruissaient autour de ses jambes et retira elle-même l'ultime rempart de dentelle qu'il s'était contenté d'effleurer.

Les yeux dans les yeux, le cœur délirant, ils hésitèrent une seconde au bord de l'abîme où ils allaient sombrer, puis s'étendirent sur le sable et s'abandonnèrent sans retenue à la vague brutale de désir qui déferlait en eux.

Lorsque Kamar pénétra au plus profond de sa chair et accéléra son rythme, Selina eut l'impression que la lune et les étoiles composaient au-dessus de sa tête un immense feu d'artifice dont les gerbes multicolores ne cesseraient jamais d'éclairer ses nuits.

14.

— Qu'est-ce que je fais ici ? murmura Selina lorsqu'elle ouvrit les yeux le lendemain et qu'elle vit l'aube maquiller de rose pâle les eaux ensommeillées du golfe.

Puis, se rappelant la folle soirée qu'elle avait passée dans les bras de Kamar, elle sentit une vague de panique la submerger et n'eut plus qu'une idée en tête : se sauver. S'il se réveillait avant qu'elle n'ait pu s'enfuir de la plage et qu'il se moquait de l'inqualifiable légèreté avec laquelle elle s'était conduite, elle en mourrait de honte. Mais si elle regagnait l'hôtel en catimini et qu'il venait ensuite lui parler de leur nuit de noces, elle prétendrait être restée seule dans sa chambre jusqu'au petit matin et l'accuserait d'avoir tout inventé.

« Vite ! se dit-elle en essayant d'attraper sa jupe et son chemisier qui gisaient sur le sable. Il faut absolument que je me rhabille et que je retourne à… »

— Pourquoi ne m'as-tu pas averti que tu étais vierge ?

La question, posée d'une voix cinglante, résonna aux oreilles de Selina comme un coup de fouet.

— Ah ! je croyais que vous… que tu dormais encore, balbutia-t-elle, les pommettes écarlates.

— Pourquoi ne m'as-tu pas averti que tu étais vierge ? répéta Kamar.

— Parce que j'étais persuadée que tu l'avais deviné. Quand nous sommes sortis du Banyan mardi soir et que tu m'as demandé de monter dans ton appartement, je t'ai répondu que je n'étais pas le genre de femme à accepter n'importe quelle invitation et que je n'avais ni petit ami ni fiancé.

— Mais tu t'es bien gardée de me préciser qu'aucun homme n'avait obtenu de toi davantage qu'un baiser.

— Si je t'avais avoué que je manquais d'expérience, qu'est-ce que cela aurait changé ?

— Tout. Je ne t'aurais pas touchée et les choses auraient été plus simples.

— Sur le plan légal, tu veux dire ?

— Oui. Un mariage blanc peut être annulé sans le moindre problème.

— Lorsque nous irons trouver le juge lundi matin, nous n'aurons pas besoin de lui raconter ce qui s'est passé cette nuit. Personne à La Luna ne sait que nous avons couché ensemble. Marta Hunter ne risque donc pas de nous trahir et d'empêcher l'invalidation.

— Nous n'avons pas couché ensemble, nous avons *fait l'amour*, rectifia Kamar d'un air offensé.

— Et tu le regrettes ?

— Evidemment ! Connaissant l'hypocrisie et la cupidité de certains agents immobiliers, j'aurais dû me douter que ton grand-père chercherait à me piéger.

— Mon grand-père ! répéta Selina, interloquée. Qu'a-t-il à voir avec tout cela ?

— S'il n'avait pas prétendu que nous voulions nous marier, toi et moi, Marta Hunter ne nous aurait pas suivis jusqu'à la mairie de Locumbia et nous n'aurions pas été obligés de réclamer une dispense de publication des bans à l'officier de l'état civil. C'est donc bien à cause de lui que je suis pieds et poings liés aujourd'hui. Comment s'y est-il pris pour s'assurer ta complicité ? T'a-t-il ordonné de m'attirer dans tes filets sans t'expliquer ce qu'il avait en tête ? Ou t'a-t-il fait miroiter les avantages matériels que la situation pourrait vous procurer à l'un et à l'autre ?

— Tu crois que… que ce qui s'est passé cette semaine était prémédité ?

— Oui, de A à Z. Au lieu de rester à Washington et de t'occuper de ta campagne de publicité, tu es venue à La Luna et tu as essayé de me séduire dès notre première rencontre. Je parie même que tu as promis à Marta Hunter des photos exclusives de nos vacances en Floride à condition qu'elle entre dans ton petit jeu. Quand nous sommes allés dîner au Banyan et que je l'ai aperçue au fond de la salle, j'ai pensé qu'un employé de l'hôtel l'avait renseignée moyennant un généreux pourboire, mais je me suis trompé. Les seules personnes qui avaient intérêt à ce que cette sangsue m'empoisonne la vie et m'accule au mariage, c'est ton grand-père et toi.

Oubliant sa nudité, Selina se leva d'un bond et baissa vers Kamar un regard indigné.

— Au cas où dormir à la belle étoile t'aurait engourdi le cerveau, jeta-t-elle d'un ton acide, je te rappelle que tu es descendu me rejoindre de ton plein gré hier soir.

— Qu'aurais-tu voulu que je fasse d'autre ? riposta-t-il en sautant à son tour sur ses pieds et en la toisant du haut de son mètre quatre-vingt-dix. Dès que je me suis accoudé au bar, Janis m'a dit que tu m'attendais dans l'une des tonnelles qui se trouvaient près de la mangrove et je me suis senti obligé d'aller te tenir compagnie. Si j'avais passé la nuit seul, Marta Hunter aurait deviné que nous lui avions menti.

— Ah ! c'est pour cela que tu es venu me retrouver. Quand tu prends une décision, il faut toujours que tu aies des arrière-pensées, hein ?

— Dans ce domaine, tu n'as rien à m'envier. Après m'avoir entraîné à Locumbia sous prétexte de visiter la mairie, tu as réclamé une dispense de publication des bans à l'officier de l'état civil et, comme tu savais qu'un mariage blanc serait un peu trop facile à annuler, tu m'as joué le grand jeu.

— Traite-moi d'allumeuse pendant que tu y es !

— « Allumeuse » n'est pas le terme que j'emploierais. Disons plutôt que tu es une formidable manipulatrice. Lorsque je suis arrivé sur la plage, tu dansais au bord de l'eau et tu avais l'air tellement triste que je n'ai pas pu m'empêcher de te consoler.

— Personne ne t'y obligeait.

— Si je t'avais laissée pleurer et que j'étais

retourné dans ma chambre, je me le serais reproché toute la nuit. D'habitude, cela m'horripile de voir une femme sangloter parce que je ne supporte pas qu'on cherche à m'attendrir ou à me culpabiliser, mais tes larmes m'ont semblé sincères et je ne me suis pas méfié.

Partagée entre la fureur et le désespoir, Selina dévala la grève et pataugea dans l'océan jusqu'à ce que le déferlement ininterrompu des vagues agisse sur elle comme un vulnéraire.

— C'est toi qui as fait le premier pas hier soir, lui rappela Kamar en la rejoignant. Tu m'as embrassé et j'ai cru que tu t'étais enfin décidée à m'accorder ta confiance.

— Au lieu de te bercer d'illusions, tu aurais dû t'apercevoir que j'avais trop bu et t'éclipser.

— Si je m'étais douté que tu allais me sauter dessus et profiter de ma gentillesse, je t'aurais ramenée de force à l'hôtel.

— Profiter de ta gentillesse ! releva Selina, outrée. Un peu plus et tu m'accuserais de t'avoir violé.

— Non, je n'oserais pas.

— Encore une chance qu'il te reste un minimum d'objectivité !

Kamar réfléchit une seconde, le regard soudé à

la ligne presque imperceptible de l'horizon, puis jeta d'un air accablé :

— Quand les habitants de Zohra-zbel apprendront que j'ai épousé une roturière, ils seront effondrés.

Au mot « roturière », Selina se sentit des pulsions homicides.

— Ce n'est pas parce que nous avons eu un moment de faiblesse, tous les deux, que ton royaume d'opérette va s'écrouler comme un château de cartes et que tes sujets bien-aimés vont te clouer au pilori, lança-t-elle avec une ironie mordante.

— Ah ! tu reconnais enfin que je ne suis pas le seul à blâmer ?

— Je n'ai jamais dit que tu l'étais. J'ai juste essayé de te montrer que tu avais, toi aussi, ta part de responsabilité.

— Maintenant que nous ne pouvons plus demander au juge de Locumbia d'annuler notre mariage, qu'allons-nous faire ?

— Divorcer. Dès que nous aurons quitté La Luna, tu n'auras qu'à consulter un avocat et je signerai sans broncher les papiers qu'il m'enverra.

15.

« Pourvu que Selina n'ait pas parlé à son grand-père de ce qui s'est passé cette nuit entre elle et moi ! » se dit Kamar en descendant de son duplex deux heures plus tard et en apercevant Jérôme Carrington dans le hall d'accueil.

— Avez-vous des nouvelles du propriétaire de la résidence de Georgetown ? lui demanda-t-il après l'avoir salué d'une brève poignée de main.

— Non. Je suis surpris qu'il ne nous ait pas encore donné signe de vie.

— S'il pouvait se manifester rapidement, cela m'arrangerait, car j'aimerais bien connaître sa réponse avant de boucler mes valises.

— Quand devez-vous quitter La Luna ?

— Aujourd'hui même. Un… événement inattendu m'oblige à écourter mes vacances.

— Avez-vous averti ma petite-fille de votre départ ?

— Pas en termes explicites, mais je crois qu'elle s'en doute.

Voyant la réceptionniste s'affairer au fond du hall, Jérôme alla s'accouder au comptoir et lui lança avec un charmant sourire :

— Mercredi dernier, Mme Montrose a envoyé de ma part un fax à une agence immobilière de Washington et je suis étonné de n'avoir rien reçu en retour.

— Oh ! ce n'est pas la faute de votre correspondant, monsieur Carrington. Notre télécopieur est tombé en panne et il a fallu que nous en achetions un autre.

L'air embarrassé, Lilith Peterson extirpa d'un casier une liasse de feuilles dactylographiées et la tendit à Jérôme.

— Ces documents nous sont parvenus hier soir, l'informa-t-elle, mais comme il était déjà très tard, nous n'avons pas pu vous les transmettre.

— Aucune importance ! s'exclama-t-il. L'essentiel est qu'ils soient enfin arrivés.

Et, prenant Kamar par le bras, il l'entraîna d'autorité vers l'escalier d'honneur dont les marches s'envolaient majestueusement au-dessus du hall d'accueil.

— Montons dans ma suite, lui dit-il. Nous y serons plus à l'aise pour discuter.

— Cela ne risque pas de déranger Selina ?

— Non. Elle s'est levée aux aurores ce matin et m'a laissé un mot sur la table du salon.

— Qu'avait-elle écrit dans ce mot, si ce n'est pas indiscret ?

— Que je ne la verrais pas de toute la journée parce qu'elle était fatiguée et qu'elle avait décidé d'entamer une cure de thalassothérapie. Comme elle a attrapé un coup de soleil en faisant du Deltaplane hier et qu'elle ne supporte pas d'avoir les joues en feu, je ne serais pas étonné qu'elle aille également consulter l'une des esthéticiennes de l'institut de beauté.

— Dommage que je sois forcé de quitter l'île, car je… j'aurais bien aimé la saluer avant de partir.

— Lorsque nous serons de retour à Washington, elle et moi, vous n'aurez qu'à lui téléphoner et l'inviter au restaurant.

— Je n'y manquerai pas.

Une fois arrivé dans sa suite, Jérôme balaya des yeux les feuillets que lui avait remis la réceptionniste et esquissa un sourire.

— Votre offre a été acceptée, annonça-t-il à Kamar. Il ne vous reste donc plus qu'à remplir les formalités administratives et la magnifique propriété que vous convoitez sera à vous.

— Comment as-tu pu me faire une chose pareille, Sellie ? s'indigna Jérôme en pénétrant dans la chambre de sa petite-fille le lendemain soir et en jetant sur le lit le dernier numéro du *Washington Post*. Tu as épousé le cheik Asad cette semaine et tu ne me l'as pas dit ?

— Si je tenais celui ou celle qui a renseigné l'auteur de l'article, je l'étranglerais, maugréa Selina après avoir lu l'entrefilet qui lui était consacré.

— Pourquoi m'as-tu caché la vérité ?

— Parce que ce mariage ne rimait à rien et que je n'ai pas souhaité te donner de faux espoirs. Jeudi, Kamar et moi sommes allés nous promener à Locumbia et nous avons réclamé une dispense de publication des bans à un employé de la mairie, croyant que cela suffirait à convaincre Marta Hunter de notre sincérité, mais cette poison a tout raconté à Merry Montrose, qui nous a obligés à signer l'imprimé.

— Dans quel but ?

— Je ne sais pas. Peut-être a-t-elle cru que Kamar était un espion déguisé en prince des *Mille et Une Nuits*, ou peut-être a-t-elle simplement voulu me pousser dans ses bras. Depuis que nous sommes arrivés sur l'île, je l'ai souvent vue ménager des tête-à-tête romantiques aux clients encore célibataires de l'hôtel. J'ai l'impression qu'elle adore jouer les entremetteuses.

— De là à régenter ta vie, il y a un pas.

— Qu'elle a franchi sans le moindre scrupule. Après s'être emparée de la licence, elle l'a déposée au tribunal de Locumbia et le juge l'a validée.

— C'est à cause de cela que le cheik Asad a quitté La Luna hier matin ?

— Probablement. Comme je lui avais conseillé de demander le divorce, il a dû décider de rentrer à Zohra-zbel séance tenante et de consulter un avocat.

— Avant l'intervention de Mme Montrose, vous aviez l'air de très bien vous entendre, lui et toi.

— Il est vrai que nous avons rapidement sympathisé, mais cette comploteuse a tout gâché. Si elle ne s'était pas mêlée de ce qui ne la regardait pas, il ne me serait pas venu à l'idée d'épouser Kamar.

— Pour quelle raison lui aurais-tu refusé ta main ?

— Parce que, depuis ma naissance, je souffre d'une allergie chronique au mariage.

— Tu te trompes, ma chérie, répliqua Jérôme

en retirant de la poche de son blazer une vieille photographie écornée qu'il tendit à Selina. Sais-tu quand ce cliché a été pris ?

— Non.

— La veille de ton septième anniversaire. Après avoir demandé à ta mère de t'aider à enfiler la jolie robe blanche qu'elle avait portée le jour de ses noces, tu avais chaussé des escarpins à talons aiguilles, posé un voile de tulle sur tes cheveux et souri à l'objectif.

— Je ne me rappelle pas la scène.

— Rien d'étonnant à cela ! Lorsque ton père est décédé cinq ans plus tard et qu'Audray l'a remplacé, tu as éprouvé un tel chagrin que tu t'es renfermée sur toi-même et que tu as rayé de ta mémoire tout ce qui se rattachait à ton enfance.

— Qu'aurais-je pu faire d'autre ?

— Pas grand-chose, hélas ! Il y a des circonstances dans la vie où il vaut mieux se tourner vers l'avenir plutôt que de chercher à ressusciter le passé.

— Pourquoi as-tu gardé cette vieille photo dans ta poche au lieu de la ranger au fond d'un tiroir ?

— Parce qu'il m'arrive d'y jeter un œil de temps en temps et de me dire que bientôt, peut-être, tu seras aussi joyeuse qu'à l'époque où elle a été prise.

— Navrée de te décevoir, mais je ne pense pas que j'aurai un jour l'occasion de porter une robe de mariée et une couronne de fleurs d'oranger.

— Une fois que le prince Asad sera de retour à Washington, promets-moi de ne pas lui réserver un trop mauvais accueil.

— A l'heure qu'il est, il doit être en train d'engager une procédure de divorce à des milliers de kilomètres d'ici. Je ne vois donc pas quel intérêt j'aurais à lui faire de beaux sourires quand il daignera rentrer aux Etats-Unis.

— Essaie tout de même de lui donner une seconde chance.

— Le connaissant, je doute qu'il soit capable de la saisir, déclara Selina. La seule chose qui l'inquiète, c'est l'opinion que les gens auront de lui lorsqu'ils découvriront qu'il s'est mésallié.

— Récapitulons, veux-tu ? jeta le père de Kamar après avoir écouté ce dernier lui parler de son mariage éclair. Si j'ai bien compris ce que tu m'as dit, tu as épousé contre ton gré une jeune Américaine de bonne famille qui était encore vierge, tu as passé une nuit avec elle et tu l'as laissée tomber le lendemain matin.

— L'histoire est plus compliquée que cela, mais on peut la résumer de cette façon. Comme je savais que certains de tes amis étaient abonnés au *National Devourer*, j'ai décidé de sauter dans le premier avion à destination de Zohra-zbel et de venir te donner ma version des faits avant que le magazine ne te tombe sous les yeux.

— Tu as eu raison. Je n'aurais pas aimé que ce soit l'un de mes ministres qui m'annonce la nouvelle.

— Toi qui rêvais de me voir suivre l'exemple de Denya, tu dois être déçu que j'aie enfreint tes ordres et défrayé la chronique encore une fois.

— Pas particulièrement. Je ne m'attendais pas à ce que tu épouses une princesse saoudienne et respectes les traditions.

— Il faut qu'elle soit très habile, cette Selina Carrington, pour avoir réussi à te passer la corde au cou, lança la femme de Denya à Kamar.

— Ce n'est pas elle qui est à blâmer, Amira, protesta celui-ci en regardant sa belle-sœur allaiter la dernière-née des Asad. Lorsque je l'ai quittée samedi matin, je l'ai accusée de m'avoir piégé, mais j'ai été injuste envers elle et je regrette toutes les horreurs que je lui ai dites. En réalité, elle n'avait aucune envie de renoncer à sa carrière et de fonder un foyer.

— Quel métier exerce-t-elle ?

— Elle est rédactrice publicitaire et a un tel talent qu'elle pourrait bientôt devenir la reine du marketing.

— Parfait ! s'écria le père de Kamar. Comme il y a des années que j'essaie sans succès d'attirer des touristes américains à Zohra-zbel, je lui demanderai d'organiser une vaste campagne de promotion.

— Tu ne veux pas que j'appelle notre avocat et que je le charge de régler les détails du divorce ?

— Non. Je préfère que tu regagnes La Luna dès que possible et que tu te réconcilies avec ta femme. Puisque nous avons besoin d'un ambassadeur à Washington, le poste est à toi, mon fils.

« Jamais Selina ne me pardonnera de l'avoir traitée de manipulatrice et de m'être enfui au bout du monde le lendemain de notre nuit de noces, se dit Kamar, honteux de sa muflerie. Si je ne tiens pas à ce qu'un autre homme profite de mon absence pour la réconforter, j'ai intérêt à rentrer aux Etats-Unis, et en vitesse ! »

16.

— Tout est votre faute, lança Selina à la directrice de La Luna le mardi suivant. A cause de vous, Kamar a quitté l'hôtel et je doute qu'il ait envie d'y remettre les pieds un jour.

— Quand est-il parti ? s'informa Merry d'une voix teintée d'inquiétude.

— Samedi matin.

— Ah ! je l'ignorais. J'ai été souffrante ce week-end et c'est Lilith Peterson, ma réceptionniste, qui s'est occupée des clients.

— Savez-vous pourquoi le prince est rentré chez lui, à Zohra-zbel ?

— Non.

— Pour demander à l'avocat de sa famille d'entamer une procédure de divorce.

— Vous voulez dire que… qu'il n'est pas amoureux de vous ?

— Là n'est pas la question, madame Montrose.

Si vous ne vous étiez pas mêlée de ce qui ne vous regardait pas, Kamar et moi aurions peut-être fini par trouver le bonheur ensemble, mais votre intervention nous a éloignés l'un de l'autre au lieu de nous rapprocher. Qui vous a autorisée à aller déposer notre licence de mariage au tribunal de Locumbia ?

— Comme le cheik Asad et vous paraissiez incapables de saisir votre chance, j'ai cru que le seul moyen de vous aider à y voir clair serait de vous mettre au pied du mur. De nombreux couples se sont formés sous mes yeux ces dernières années et cela m'a donné envie de pousser vers l'autel ceux qui hésitaient encore à franchir le pas.

— Le problème, c'est que Kamar n'est pas du genre à se laisser dicter sa conduite. Si vous rêviez de caser tous les célibataires dont vous croisez la route, vous auriez mieux fait d'ouvrir une agence matrimoniale à Miami plutôt que de diriger La Luna.

Après avoir salué Merry Montrose d'un vague signe de tête, Selina gravit quatre à quatre les marches de l'escalier qui menait à sa suite, puis ouvrit la porte du salon et allait claquer le battant derrière elle lorsque la haute silhouette de Kamar s'encadra dans le chambranle.

— Tiens ! s'exclama-t-elle, le cœur agité de soubresauts, tu es de retour ?

— Oui, comme tu peux le voir, rétorqua-t-il en s'adossant à la cloison.

— Pourquoi es-tu revenu ici ?

— Pour te parler. Et je ne m'en irai pas tant que tu ne m'auras pas écouté.

— Tu m'as déjà dit tout le bien que tu pensais de moi samedi matin. Il est donc inutile que tu en rajoutes.

— Je suis désolé de t'avoir soupçonnée des pires manigances. J'étais énervé et les mots ont dépassé ma pensée.

— Son Altesse sérénissime le prince de Zohrazbel présentant des excuses à une simple roturière ? Je n'en crois pas mes oreilles ! Dommage que Marta Hunter ne soit pas là, car elle se serait dépêchée d'allumer son magnétophone et de t'enregistrer.

— T'a-t-elle harcelée depuis mon départ ?

— Non. Comme je suis restée dans ma chambre à longueur de journée, elle n'a pas pu me prendre en photo ni me poser la moindre question.

— C'est à cause de cette enquiquineuse que tu as vécu en ermite ?

— Pas seulement. A La Luna, tout le monde

sait que nous nous sommes mariés vendredi dernier et que tu t'es enfui dès le lendemain matin. Si j'avais eu la mauvaise idée d'aller dîner au Banyan ou de descendre lézarder au bord de la piscine, j'aurais été en butte à la curiosité des autres vacanciers et il aurait fallu que je supporte leurs regards apitoyés.

— Au lieu de te quitter, j'aurais dû t'emmener à Zohra-zbel et te présenter à ma famille.

— Qui te dit que j'aurais eu envie de laisser tomber mon grand-père et de t'accompagner ?

— Mon flair de fin limier.

— Celui que tu prétends avoir hérité de l'illustre Sherlock Holmes ?

— Oui. Après la nuit merveilleuse que nous avons passée ensemble, je suis sûr que tu m'aurais suivi au bout du monde si je te l'avais demandé.

— A ta place, j'éviterais de parler de cette nuit-là.

— Pourquoi ?

— Parce qu'elle s'est très mal terminée et que je préfère les lendemains qui chantent aux réveils douloureux.

— Combien de fois faudra-t-il que je m'excuse de t'avoir insultée avant que tu daignes me pardonner ?

— Personne ne t'oblige à mettre ta fierté dans ta poche et à faire amende honorable. Ce que tu as à me dire ne m'intéresse pas, de toute façon. Alors, que tu restes à La Luna ou que tu ailles au diable, je m'en moque.

— Tu oublies que je suis ton mari et qu'il est de ton devoir de m'écouter.

— Toi, mon mari ? Tu délires ! Sans l'intervention de Marta Hunter et de Merry Montrose, je n'aurais jamais eu l'idée saugrenue de t'épouser.

— Ce qui s'est passé vendredi soir n'a aucune importance à tes yeux ?

— Non, pas plus qu'aux tiens. S'il y avait eu autre chose entre nous qu'une banale attirance physique, tu ne m'aurais pas traitée de manipulatrice à ton réveil et tu ne te serais pas enfui comme un voleur.

— Ce n'est pas parce que je me suis mal conduit le week-end dernier que tu dois douter de ma franchise et de ma loyauté aujourd'hui.

— N'emploie donc pas des mots dont tu ignores la signification ! La franchise et la loyauté sont des qualités que tu n'es pas près de posséder.

— Sur ce plan-là, nous sommes à égalité. Lorsque tu prétends que notre nuit de noces n'a été qu'un incident de parcours dans ta vie, je ne pense pas que tu sois très honnête.

Kamar s'approcha de Selina et lui effleura les cheveux d'une lente caresse.

— Vu l'ardeur avec laquelle tu m'avais rendu mes baisers au Banyan, j'ai été étonné que tu sois vierge, avoua-t-il tout bas. Pourquoi n'avais-tu laissé aucun homme te toucher avant moi ?

— J'avais mes raisons et tu le sais, rétorqua-t-elle en refoulant les larmes qui lui piquaient les paupières. Si tu avais eu un minimum de perspicacité, tu aurais deviné que je n'avais encore jamais fait l'amour.

— Les raisons dont tu me parles remontent au déluge, Sellie. Comment aurais-je pu me douter que tu avais été marquée à ce point par ce qui t'était arrivé quand tu avais quinze ans ?

— Les femmes sont beaucoup plus vulnérables que tu ne l'imagines.

— A l'exception des nourrices anglaises qui ont essayé autrefois de remplacer ma mère et des actrices d'Hollywood avec lesquelles je suis sorti depuis mon arrivée aux Etats-Unis, je n'en ai connu aucune.

— D'où ton manque évident de psychologie. A force de prendre tes petites amies pour des

Kleenex, tu as fini par croire que le mot « sentiment » avait été rayé du dictionnaire.

— Toi, ce sont les verbes « pardonner » et « oublier » que tu as du mal à employer. Le passé est le passé et, quoi que tu fasses, tu ne réussiras pas à le changer. Le futur, lui, n'est encore qu'un rêve. Il ne te reste donc que deux possibilités : croquer à belles dents la vie de princesse que je veux t'offrir et profiter du moment présent, ou te replonger dans tes stupides campagnes de publicité et t'abrutir de travail jusqu'à en perdre la mémoire.

— Mon métier n'a rien de stupide ni d'abrutissant. Il est formidable, au contraire, et je dépérirais si je ne pouvais plus l'exercer.

— Ne démissionne pas, alors, mais vends ton studio et viens habiter avec moi dans la magnifique résidence de Georgetown que j'ai achetée.

— Le propriétaire t'a donné sa réponse ?

— Oui. L'agence immobilière à laquelle il s'était adressé m'a faxé son accord, et comme le poste d'ambassadeur m'a été confié, j'ai l'intention d'emménager dès mon retour à Washington.

— Pourquoi tiens-tu à ce que nous vivions sous le même toit ?

— Parce que tu es ma femme et que ta place est à mes côtés.

— Nous sommes tellement différents l'un de l'autre que, si j'accepte ton hospitalité, nous n'arrêterons pas de nous chamailler.

— Avant que notre licence de mariage ne soit validée, nous nous amusions bien.

— Mais cela ne veut pas dire que nos relations seront idylliques une fois que nous aurons quitté La Luna. Quand on passe ses vacances sur une île paradisiaque et qu'on n'a aucun souci en tête, on est plus tolérant que le reste de l'année.

— Le meilleur moyen de savoir comment nous nous entendrons au quotidien, c'est de rentrer à Washington et de vivre ensemble.

— J'ai horreur de déménager.

— Aucune importance ! Je connais une entreprise spécialisée qui s'occupera de tout à ta place.

— Pour quelle somme ?

— Je l'ignore. Je n'ai vécu qu'à l'hôtel ces dernières années et je n'ai pas l'habitude de compter.

— Moi, j'y suis obligée. Vu le maigre salaire que me verse mon patron, je ne peux pas me permettre de jeter mon argent par les fenêtres.

— Si tu ne veux pas que je règle la note, demande un devis et tu seras fixée.

Selina se mordilla les lèvres, indécise.

— Navrée, je ne suis pas encore prête, lâcha-t-elle d'une voix contrite.

— Dans ce cas, je te propose une petite expérience, répliqua Kamar avec un sourire. Tu te rappelles les jolies maisons aux volets clos que nous avons aperçues le soir où nous sommes allés dîner au Banyan ?

— Oui. Certaines ressemblaient à des villas de star et les autres, à des cottages anglais.

— Eh bien ! louons-en une et passons-y la fin de la semaine.

— D'accord, mais à une condition.

— Laquelle ?

— Que nous ayons des chambres séparées. Je… je n'ai pas envie de dormir dans tes bras.

— Vendredi dernier, sur la plage, cela n'a pas eu l'air de te déranger.

— Forcément ! J'avais bu une telle quantité de champagne que je ne savais même plus qui j'étais.

— La prochaine fois que je souhaiterai te voler un baiser, je me déguiserai en sommelier et je t'apporterai un magnum de dom pérignon.

— Inutile ! Je ne me laisserai pas tenter.

— Tu as tort de vouloir rester chaste. Une jeune femme aussi belle et aussi sexy que toi ne devrait pas se priver de… certains plaisirs.

La pause infime qu'avait marquée Kamar avant d'achever sa phrase et le ton qu'il avait adopté firent battre très fort le cœur de Selina.

— Tiens ! s'étonna-t-il en la voyant porter une main tremblante à sa joue cramoisie, tu as gardé ta bague de fiançailles ?

— Quel mal y a-t-il à cela ? répliqua-t-elle, sur la défensive.

— Aucun, mais je pensais que tu l'avais jetée à la poubelle après notre dispute de samedi matin.

— Comme tu me l'avais achetée dans le seul but de mystifier Marta Hunter, je n'ai pas cru nécessaire de m'en débarrasser.

— Quand un homme offre des rubis et des diamants à une femme, c'est parce qu'il est amoureux d'elle et qu'il veut le lui prouver.

— Si ce que tu dis est vrai, tu dois être l'exception qui confirme la règle.

— A toi de juger ! s'exclama Kamar avant de traverser le salon en trois enjambées et de décrocher le téléphone qui trônait sur le plateau de marbre d'un guéridon. Tu ne vois pas d'inconvénient à ce que j'appelle la directrice de l'hôtel et à ce que je lui demande de nous louer une villa ? interrogea-t-il en collant le récepteur à son oreille.

— Non, prétendit Selina. Nous pouvons toujours essayer de vivre ensemble jusqu'à la fin de la semaine.

17.

— Où as-tu mis mon rasoir, ma brosse et mon peigne ? demanda Kamar à Selina en embrassant du regard la salle de bains du ravissant cottage que leur avait loué Merry Montrose au début de la soirée.

— Dans le cabinet de toilette qui se trouve à côté de la cuisine, répondit la jeune femme après avoir aligné ses produits de beauté sur une étagère. Puisqu'il n'y a qu'une chambre et qu'aucun employé de l'hôtel n'a eu la bonne idée d'y installer des lits jumeaux, j'ai décidé de dormir au premier étage et de te laisser tout le rez-de-chaussée.

— Quelle générosité !

— N'est-ce pas ? Je savais que tu apprécierais ma grandeur d'âme et mon sens de l'organisation.

— Que tu aies besoin d'espace, je le comprends, mais pourquoi veux-tu nous obliger à vivre comme des étrangers ?

— Parce que je tiens à ma tranquillité. Même si cela faisait vingt-cinq ans que tu m'avais passé la bague au doigt, je refuserais de me laver les mains dans la même vasque que toi.

— A l'époque où tu habitais chez ta mère, tu ne partageais pas sa salle de bains ?

— Non. Nous avions chacune la nôtre. Et quand je me suis inscrite à la fac, j'ai préféré m'acheter une studette dans le centre-ville plutôt que de louer une chambre sur le campus et de devoir prendre des douches avec les pensionnaires de la cité U. J'ai une telle phobie des microbes que je ne supporte pas de voir traîner des gants de toilette humides ou des serviettes mal essorées.

— N'aie crainte, je suis quelqu'un de très ordonné.

— Peut-être notre mariage a-t-il des chances de durer, alors.

— Espérons-le, riposta Kamar avant de dégringoler l'escalier et d'aller examiner le canapé du salon. Jamais je n'arriverai à dormir là-dessus, se plaignit-il dès que Selina l'eut rejoint. Il n'y a pas assez de place.

— Si tu étais habitué comme moi à vivre dans trente mètres carrés, tu saurais qu'il suffit de déplier les coussins et de rabattre le dossier pour transformer ce genre de sofa en lit, répliqua-t-elle, amusée.

— Dommage que tu sois une spécialiste des convertibles, car j'avais l'intention de gémir sur mon sort jusqu'à ce que tu daignes m'offrir l'hospitalité.

— Tu aurais pu te lamenter pendant toute la nuit, je n'aurais pas cédé.

— C'est bien ce que je redoutais. Tu es aussi cruelle et impitoyable que les vautours de mon pays.

— Au lieu de me comparer à ces horribles rapaces et de te payer ma tête, emmène-moi dîner. Je meurs de faim.

— Où préfères-tu que nous allions ? Au Banyan, au Greenhouse Café ou dans un simple snack-bar ?

— Au Greenhouse Café. Il paraît qu'il y a un délicieux curry de poulet au menu.

— Qui te l'a dit ?

— Mon grand-père. La gourmandise est son péché mignon.

— Puisque le restaurant que tu as choisi est l'un des plus chic de La Luna, pourrais-tu mettre la jolie robe en satin blanc que tu portais la première fois que nous avons dansé ensemble sur la plage ?

— Pourquoi pas ? riposta joyeusement Selina. Pendant que je monte me changer, va m'attendre sous la véranda. Je ne serai pas longue.

— A tes ordres, princesse ! se moqua Kamar avant de lui effleurer le front d'un baiser impertinent et de quitter le salon avec force courbettes.

— Quelle merveilleuse soirée nous avons passée ! murmura Selina en sortant du Greenhouse Café à 23 h 45 et en regardant les étoiles luire au-dessus de l'océan. Tout compte fait, le mariage ne me réussit pas trop mal.

— Enfin ! s'exclama Kamar. Je croyais que tu ne l'avouerais jamais. Des milliers de gens vivent en couple dans le monde et sont très heureux.

— D'habitude, quand un homme et une femme décident de fonder un foyer, c'est parce qu'ils s'aiment et qu'ils veulent bâtir quelque chose de durable ensemble. Nous, nous nous connaissons à peine et nous n'avons même pas eu droit à de vraies fiançailles.

— Si nous dormions dans le même lit jusqu'à dimanche prochain, nous n'aurions plus aucun secret l'un pour l'autre.

— Ah ! tu ne vas pas revenir là-dessus encore

une fois. Je t'ai déjà dit que je ne tenais pas à commettre la même erreur que vendredi.

— Il ne s'agissait pas d'une erreur et tu le sais. Nous avons succombé à…

— Oh ! tu entends ? coupa Selina, la tête tournée vers la terrasse illuminée du bar. Un chanteur de karaoké est en train d'interpréter *Twist and Shout*.

— Heureusement que ce n'est pas *Unforgettable* qu'il a choisi de massacrer !

— Pendant qu'il hurle dans le micro, veux-tu que nous dansions ?

— Si les musiciens qui essaient de couvrir sa voix entamaient un slow, une valse ou un tango, j'accepterais avec plaisir d'être ton cavalier, mais je ne crois pas qu'il soit très convenable pour un prince de Zohra-zbel de se déhancher au rythme des guitares.

— Avoue plutôt que tu ne connais rien au rock and roll et que tu as peur de te ridiculiser !

— Est-ce un crime à tes yeux de ne pas avoir tous les talents ? demanda Kamar, trois secondes avant que son téléphone ne se mette à sonner.

« La prochaine fois que ce maudit appareil me déchirera les tympans, j'irai le noyer dans les eaux du golfe », se jura Selina en regagnant d'un pas belliqueux le cottage chapeauté de tuiles rondes où elle était censée jouer les jeunes mariées épanouies.

— Pas si vite ! lui lança Kamar, après avoir échangé quelques mots avec son correspondant et glissé son portable au fond de sa poche. Tu ne t'imagines tout de même pas que nous allons nous quitter sans avoir respecté les règles de la politesse ?

— De quelles règles parles-tu ?

— De celles qui veulent qu'un galant homme embrasse chaque soir sa femme pour lui souhaiter une bonne nuit.

— Comme la galanterie n'est pas ton fort malgré ce que tu prétends, il est inutile que tu t'imposes une telle obligation.

— Inutile peut-être, mais très excitant, chuchota Kamar avant d'attirer Selina à lui et de la réduire au silence de la plus délicieuse manière qui soit.

— Maintenant que tu as tenu ton rôle de parfait gentleman, je... je vais monter me coucher, balbutia-t-elle en se ruant vers l'escalier.

« Aucun acteur de cinéma, aucun top model n'est aussi séduisant que lui », songea Selina lorsqu'elle descendit dans la cuisine le lendemain matin et qu'elle vit Kamar dresser la table.

Simplement vêtu d'un pantalon de pyjama à la ceinture très lâche, il s'offrait avec nonchalance aux caresses du soleil dont les rayons criblaient les fenêtres du cottage et improvisaient des jeux d'ombre et de lumière sur son torse puissant.

— Bonjour, jeta Selina, incapable de trouver l'un de ces traits d'ironie grâce auxquels elle parvenait d'habitude à masquer sa nervosité.

— Tu as bien dormi ? demanda Kamar après lui avoir effleuré les cheveux d'un baiser.

— Pas très bien, non. Je me suis tournée et retournée entre mes draps jusqu'à l'aube.

— Moi, j'ai passé une excellente nuit.

— Je le sais. Je t'ai entendu déplier ton convertible pendant que je prenais une douche et, ensuite, la maison est devenue silencieuse. Si j'avais pu me douter que le sofa était encore plus confortable qu'un vrai lit, je t'aurais laissé la chambre et je me serais installée au rez-de-chaussée.

— Au lieu de chercher vainement le sommeil en comptant les moutons, tu aurais dû descendre me rejoindre et je t'aurais enseigné un moyen très efficace de lutter contre l'insomnie.

— Quel moyen ?

— Devine !

Amusé de voir les pommettes de Selina se teinter de vermillon, Kamar lui encercla les épaules et lissa du bout des doigts le col de la veste gris perle qu'elle avait revêtue.

— Pourquoi as-tu mis un tailleur aujourd'hui ? lui demanda-t-il.

— Parce que j'ai voulu te donner un avant-goût de la vie que nous mènerons à Washington. Comme il faudra que je me rende à mon bureau chaque matin, je serai obligée de laisser mes shorts et mes maillots de bain au fond de ma penderie.

— Quand je t'ai proposé de louer une villa et de tester notre aptitude au mariage, je ne me doutais pas que tu irais jusqu'à ressortir de ton armoire ta panoplie de femme d'affaires. Si nous allons au Greenhouse Café à midi et que tu ne t'es pas changée d'ici là, les gens vont te regarder d'un drôle d'air.

— Et après ? C'est de cette façon que je m'habille en temps normal.

— Mais notre situation actuelle n'a rien de normal.

— Ah bon ! Je ne m'en étais pas aperçue, ironisa Selina en se glissant hors des bras de Kamar et en admirant la table qu'il avait dressée au centre de la cuisine. Tu t'es rappelé que je prenais du moka et de la compote de fruits rouges au petit déjeuner ? s'étonna-t-elle à la vue de la tasse et des deux coupelles de cristal qui étincelaient au soleil.

— Bien sûr, répondit-il, avant de tirer galamment l'une des chaises, dont les pieds chantournés disparaissaient sous les volants de la nappe, et de l'aider à s'y installer. Un gentleman doit toujours chercher à satisfaire les moindres désirs de sa femme.

— Qui a mixé les fraises et les framboises ?

— Moi. Tu croyais que je m'étais contenté de téléphoner à la réception et de passer ma commande ?

— Oui. C'est la première fois depuis huit ans que je me sens aussi choyée. Non pas que mon grand-père m'ait négligée quand j'habitais chez lui, mais il était tellement occupé qu'il préférait acheter des boîtes de conserve ou m'emmener au restaurant plutôt que de jongler avec ses casseroles.

— Maintenant que nous sommes mariés, il te suffira de formuler des vœux pour qu'ils soient exaucés.

— Qu'est-ce que tu fais ? lança Selina à Kamar une heure et demie plus tard, lorsqu'elle le vit étaler un rouleau de calque sur le plan de travail de la cuisine.

— Hier, à mon retour de Zohra-zbel, Lilith Peterson m'a remis les plans et les photos que le propriétaire de la résidence de Georgetown m'avait envoyés par porteur spécial, et je trouve que certaines pièces manquent de faste, expliqua-t-il. J'aimerais faire ériger des colonnes de chaque côté du hall et daller le rez-de-chaussée en marbre de Carrare.

— Tu es tombé sur la tête, ma parole ! Ce n'est pas dans un mausolée que je souhaite habiter, c'est dans une vraie maison, confortable et chaleureuse, où nos amis se sentiront à l'aise…

«… et où nos enfants pourront s'épanouir », faillit ajouter Selina.

Mais, de peur que Kamar ne la croie amoureuse de lui et impatiente de fonder une famille, elle ravala la fin de sa phrase.

— Pourquoi veux-tu engager de telles dépenses ? demanda-t-elle.

— Pour épater les gens.

— Et pour les intimider, par la même occasion. Bien que tu aies changé d'attitude envers moi, tu es toujours aussi arrogant et prétentieux que le soir de notre première rencontre.

— Tu n'aimes pas les pilastres ornés de feuilles d'acanthe et le marbre blanc ?

— Non. Il n'y a rien de plus froid et de plus solennel que cela. Puisque tu tiens absolument à impressionner tes visiteurs, tu n'auras qu'à transformer l'ambassade en tombeau, mais je ne te laisserai pas défigurer notre maison.

18.

— Quel délice ! s'exclama Selina le soir même, quand elle goûta aux chiches-kebabs que Kamar venait de faire cuire sur le barbecue du cottage.

— C'est toujours comme cela que nous préparons l'agneau à Zohra-zbel, répliqua-t-il en s'asseyant à côté d'elle, sous la véranda. Nous allumons un feu de bois dans la cour du palais et nous dégustons les brochettes en plein air.

— Lorsque tu étais étudiant à Cambridge, tu as dû trouver la cuisine anglaise insipide en comparaison des spécialités de ton pays.

— Ah ! ne m'en parle pas. Les plats qu'on nous servait à la cantine étaient tellement infects que, pour ne pas mourir de faim, j'étais obligé d'acheter des sandwichs, du saumon fumé ou des beignets de poisson aux marchands ambulants qui gravitaient autour de l'université. Les deux seules choses que j'aie appréciées là-bas, en dehors de la qualité de l'enseignement et de l'ambiance qui régnait sur le campus, ce sont la bière et le thé. Les Britanniques ont les meilleures brasseries du monde et leurs pubs ne ressemblent en rien aux snack-bars américains. Un jour, je te montrerai les endroits où je passais mes soirées.

— Et à Zohra-zbel, quand m'y emmèneras-tu ?

— Dès que possible. Ma famille a hâte de faire ta connaissance. Comme j'ai dit à Denya et à sa femme, Amira, que tu étais quelqu'un de formidable, ils sont impatients de te rencontrer.

— Quel genre de relations entretiens-tu avec eux ?

— Des relations très chaleureuses. Chez les Asad, il n'y a pas de protocole et ce n'est pas parce que nous avons du sang royal dans les veines que nous nous croyons obligés de prendre un air guindé chaque fois que nous nous réunissons.

— En attendant que tu me présentes à ton père, à ton frère et à ta belle-sœur, il va falloir que nous emménagions à Georgetown et que nous arrivions à nous mettre d'accord sur la couleur des papiers peints. Moi, je trouve que toutes les pièces du bas devraient être tapissées et carrelées dans les mêmes tons pour que la résidence ne ressemble pas à un patchwork.

— Si tu ne choisis que du beige et du rose pâle, le rez-de-chaussée sera d'un fade !

— Mais si nous dallons les sols en brun-roux et que nous laquons les murs en vert sapin comme tu me l'as suggéré à midi, nous aurons l'impression de vivre dans une forêt de résineux.

— En dehors du marbre blanc, il n'y a rien de plus beau que le grès flammé.

— Puisque nous avons des goûts diamétralement opposés et qu'aucun de nous ne veut céder, nous devrions laisser un spécialiste nous départager. Ce ne sont pas les décorateurs qui manquent à Washington, et, quand tu leur diras que tu es le prince de Zohra-zbel, ils ne demanderont pas mieux que de te montrer leurs talents.

— Ah ! non, merci. Je ne tiens pas à ce qu'un étranger transforme notre maison en musée.

— Dès que nous y habiterons, nous y ajouterons notre touche personnelle et il ne nous faudra pas longtemps pour rendre les pièces chaleureuses.

— Surtout si nous avons des enfants.

De stupeur, Selina faillit s'étrangler.

— Tu… tu aimerais que nous fondions une famille ? balbutia-t-elle.

— Evidemment ! s'exclama Kamar. Après ce qui s'est passé entre nous vendredi, il se pourrait que tu sois déjà enceinte.

— Le gynécologue que j'ai consulté lundi m'a certifié que je ne l'étais pas.

— Il y a un cabinet médical à La Luna ?

— Oui. Comme l'île est située à des kilomètres de Locumbia et que le ferry n'est pas disponible vingt-quatre heures sur vingt-quatre, le propriétaire de l'hôtel a dû se dire qu'il valait mieux engager une équipe de spécialistes par mesure de précaution. Cela ne t'ennuie pas que je me sois fait examiner ?

— Pas du tout ! A ta place, j'aurais réagi de la même façon. Jusqu'à la semaine dernière, je savais qu'un jour viendrait où je serais obligé de suivre l'exemple de Denya et cette idée était loin de m'emballer, mais maintenant que je te connais, je meurs d'envie d'avoir des enfants. Et toi, tu ne trouves pas normal que, quand un homme et une femme se marient, ils soient impatients de fonder une famille ?

— Je ne sais pas. Avant de te rencontrer, j'étais tellement persuadée de rester célibataire toute ma vie que je ne voyais pas l'intérêt de me poser ce genre de question.

— Certaines de tes amies ont-elles des bébés ?

— Bien sûr ! L'une d'elles a mis au monde un petit garçon au début de l'été et, lorsque je suis allée lui rendre visite à la maternité, je me suis dit qu'elle avait de la chance d'être maman.

— Cette chance-là n'est pas réservée aux autres, Sellie. Il suffit que tu enterres le passé et que tu croies en ta bonne étoile pour que tes rêves se réalisent comme par enchantement.

Le regard indéchiffrable, Kamar bondit de sa chaise, puis aida Selina à se lever et l'enferma dans le cercle magique de ses bras.

— Au lieu de regagner ta chambre et de me laisser dormir au rez-de-chaussée, aimerais-tu rester avec moi cette nuit ? chuchota-t-il après lui avoir effleuré les lèvres d'un baiser furtif.

— Oui, acquiesça-t-elle, le cœur pris de folie, mais je ne pense pas qu'il faille brusquer les choses encore une fois. Nous nous entendons bien et il serait dommage de tout gâcher.

— Mieux vaut patienter quelques jours, tu as raison, murmura-t-il sans desserrer son étreinte.

— Ou peut-être même quelques semaines, renchérit Selina avant de plaquer impudemment ses hanches contre celles de Kamar et de mesurer les effets de son audace.

— A toi de décider, mon ange ! jeta-t-il d'une voix rauque. Si tu ne veux pas que nous allions plus loin, tu n'as qu'à quitter la véranda et je n'essaierai pas de t'en empêcher.

— Imaginons que je refuse de partir. Me reprocheras-tu ensuite de t'avoir sauté dessus comme samedi dernier ?

— Non. J'ai trop envie de te faire l'amour pour t'accuser de quoi que ce soit.

— Répète ce que tu viens de dire.

— J'ai trop envie de te faire l'amour pour t'accuser de quoi que ce soit. Dès que nous nous retrouvons seul à seule, je ne rêve que d'une chose : t'aimer jusqu'à en perdre la raison.

— Alors, montons vite dans *notre* chambre ! s'exclama Selina avant d'entraîner Kamar vers le grand lit à baldaquin où elle avait passé des heures à chercher le sommeil la nuit précédente.

Galvanisée par le regard brillant de désir dont il l'enveloppait, elle dégrafa le sarouel qu'il portait à même la peau, puis se déshabilla à la hâte et, le corps secoué de frissons incoercibles, laissa le monde chavirer autour d'elle.

19.

— J'ai croisé ton grand-père ce matin, lança Kamar à Selina pendant qu'ils prenaient leur petit déjeuner au Greenhouse Café le vendredi suivant, et il m'a dit que vous deviez partir demain.

— C'est exact, confirma la jeune femme en tiraillant nerveusement les poignets de dentelle de son chemisier. Il a réservé des places sur le prochain vol Miami-Washington, mais je ne sais pas à quelle heure nous allons quitter La Luna.

— Assez tôt, je suppose, car il va falloir que vous regagniez le continent à bord du ferry, que vous vous rendiez à l'aéroport en taxi et que vous remplissiez les formalités d'usage. Si vous ne voulez pas rater votre avion, vous aurez donc intérêt à vous dépêcher.

— Que comptes-tu faire, de ton côté ?

— Rentrer à Georgetown et emménager avec

mon épouse adorée dans la splendide demeure que j'ai achetée à deux pas de la Maison-Blanche.

— A t'écouter, on croirait que tu as déjà tout planifié et que je suis ta chose, ton objet.

— Non, c'est moi qui t'appartiens corps et âme. J'aurais bien du mal à t'expliquer pourquoi tu as pris une telle importance dans ma vie en moins de quinze jours, mais le fait est que tu m'es devenue indispensable et que je me morfondrais loin de…

La sonnerie perçante d'un téléphone pulvérisa la fin de sa phrase.

« Quel fléau, cet appareil ! » songea Selina en voyant Kamar saisir le portable qu'il avait posé près de sa tasse de thé.

Furieuse de devoir patienter jusqu'à ce que celui ou celle qui avait eu le toupet d'interrompre leur conversation daigne raccrocher, elle attrapa le mobile et jeta hargneusement dans le micro :

— Le prince Asad vous rappellera plus tard.

Puis, sous l'œil amusé des serveurs du Greenhouse Café, elle se leva de sa chaise, lança le combiné en haut de la cascade qui bouillonnait au milieu du restaurant et le regarda se fracasser contre un rocher.

— Bravo, madame ! hurla un client. Si vous jouiez

au foot, vous marqueriez tellement de buts que votre équipe serait championne des Etats-Unis.

— Merci, monsieur, rétorqua Selina, un sourire triomphant aux lèvres. Je demanderai au capitaine des *Raiders* de m'engager.

— Sais-tu avec qui je bavardais ? demanda Kamar d'un air espiègle dès qu'elle se fut rassise à côté de lui.

— Non.

— Avec mon père.

— Oh, mon Dieu ! Il faut vite que je lui présente mes excuses. Autrement, il va croire que tu as épousé une furie et t'obliger à divorcer avant la fin de l'année.

— Tu n'es plus impatiente de recouvrer ta sacro-sainte liberté ?

— Au lieu de dire des sottises, dépêche-toi de composer le numéro du palais, intima Selina en sortant son propre téléphone du sac à bandoulière qu'elle avait suspendu au dossier de sa chaise.

Puis, une fois que Kamar se fut exécuté, elle plaqua le récepteur contre son oreille et lança d'une voix mal assurée :

— Bonjour, Votre Majesté. Ici, Selina. Je... je suis navrée de vous avoir coupé la parole. Votre fils et moi étions en train de discuter lorsque son portable s'est mis à sonner et cela m'a tellement énervée que je lui ai arraché l'appareil des mains.

— Si j'avais su que vous étiez en grande conversation, tous les deux, je ne vous aurais pas interrompus, déclara le roi de Zohra-zbel. Quand aurai-je le plaisir de faire votre connaissance, ma chère enfant ?

— Je ne sais pas encore. Avant de me présenter à vous, Kamar souhaite que nous emménagions dans la superbe maison qu'il vient d'acheter au cœur de Washington.

— Je suis ravi qu'il vous ait épousée et qu'il ait enfin accepté de se ranger. Le week-end dernier, il m'a expliqué ce qui s'était passé après votre nuit de noces et je vous avoue que son attitude à votre égard m'a scandalisé. Il lui était déjà arrivé de manquer de respect à des Américaines, mais là, j'ai trouvé qu'il était allé trop loin et je ne lui ai pas caché mon indignation.

— Que lui avez-vous dit, au juste ?

— Qu'il devait retourner aux Etats-Unis et se réconcilier avec vous.

« Ah ! je comprends mieux pourquoi cet hypocrite m'a demandé humblement pardon au début de la semaine, songea Selina, les doigts crispés sur son portable. S'il est revenu à La Luna, ce n'est pas parce qu'il tenait à moi et qu'il regrettait de m'avoir insultée, c'est parce qu'il en avait reçu l'ordre. »

— Depuis que mon fils a regagné la Floride, tout va bien entre vous, j'imagine ? enchaîna le roi, inconscient des pensées qui virevoltaient dans la tête de la jeune femme.

— « Bien » n'est pas le terme adéquat, ripos-ta-t-elle d'un ton bref, mais, grâce à vous, je sais ce qu'il me reste à faire.

« Qu'est-ce que mon père lui a raconté ? s'in-quiéta Kamar en voyant s'assombrir le regard de Selina. Il y a cinq minutes, elle semblait impa-tiente de s'installer à Georgetown et, maintenant, on dirait qu'elle n'a plus qu'une hâte : me rayer de sa vie. »

— Ne quittez pas, Votre Majesté, je vous passe Kamar, lança-t-elle avant de tendre le téléphone à ce dernier, de jeter sur la nappe la bague qu'il lui avait offerte et de se lever, le dos raide.

20.

Pendant que Selina franchissait l'étroite passerelle qui enjambait le bassin du Greenhouse Café, Kamar glissa au fond de sa poche la bague ornée de rubis et de diamants qu'elle lui avait rendue, puis la rattrapa au milieu du pont et la força à se retourner.

— Que t'a dit mon père ? lui demanda-t-il, sans se soucier des regards étonnés que leur lançaient les autres clients du restaurant.

— Que le week-end dernier, il t'avait ordonné de rentrer aux Etats-Unis et de te réconcilier avec moi, riposta-t-elle, les yeux embués de larmes. Je croyais que tu étais revenu à La Luna parce que je te manquais et que tu regrettais de m'avoir laissée tomber, mais, en réalité, c'est lui qui t'y a obligé.

— Si j'avais préféré prolonger mon séjour à Zohra-zbel ou me rendre directement à

Washington et jeter notre licence de mariage aux oubliettes, je t'assure que je ne lui aurais pas obéi. Ce qu'il t'a raconté n'est donc qu'une toute petite partie de la vérité.

— Une partie que tu n'avais pas le droit de me cacher. Pourquoi ne m'as-tu pas avoué qu'il t'avait défendu de divorcer ?

— Pour éviter que tu n'en tires des conclusions hâtives, comme tu es en train de le faire. Te connaissant, je me doutais bien que tu me traiterais d'hypocrite et que je n'arriverais pas à te convaincre de ma sincérité. Après ce qui s'était passé entre nous vendredi, mon père a estimé qu'il était de mon devoir de rentrer en Floride et d'assumer mes responsabilités, mais, en dépit de l'affection que je lui porte, je ne serais pas venu te retrouver à La Luna si je ne m'étais pas ennuyé loin de toi et si tes baisers ne m'avaient pas manqué.

— L'attirance physique que nous éprouvons l'un envers l'autre ne suffira pas à consolider notre mariage.

— Tu crois que je l'ignore ? Malgré la vie tumultueuse que j'ai menée à Los Angeles, j'ai toujours su que je ne pourrais pas continuer éternellement à collectionner les aventures et qu'il faudrait tôt ou tard que je me décide à grandir. Ce dont je n'étais pas certain, en revanche, c'était de ma capacité à aimer.

— Et tu as encore des doutes à ce sujet ?

— Non, plus aucun. Dès mon retour de Zohra-zbel, je me suis rendu compte que j'avais de la chance d'avoir épousé une jeune femme qui avait subi de terribles épreuves, mais qui avait réussi à les surmonter sans rien perdre de son enthousiasme ni de sa générosité et qui m'acceptait tel que j'étais, avec mes qualités et mes défauts.

Kamar emprisonna le visage de Selina entre ses mains ouvertes en coupe et, d'une voix que l'émotion altérait, enchaîna :

— Je suis éperdument amoureux de toi, Sellie. Veux-tu m'accorder ta confiance et partager chaque minute, chaque seconde de ma vie ?

— Oui, répondit-elle, les yeux pleins d'étoiles. Même si j'ai été trop fière ou trop lâche jusqu'à présent pour te l'avouer, je t'aime à la folie et j'ai hâte que nous décorions ensemble notre maison de Georgetown.

Puis, se lovant contre lui, elle murmura :

— Comme nous allons quitter La Luna dans

moins de vingt-quatre heures, tu sais ce qui me ferait plaisir ? Que nous regagnions tout de suite notre cottage et que nous passions le reste de la journée au lit.

Épilogue

La Luna (golfe du Mexique), cinq ans plus tard

Après avoir signé le registre que lui tendait un employé de l'hôtel, Kamar sortit du hall d'accueil, un bagagiste sur les talons, puis entraîna sa famille vers la villa qu'il venait de louer au cœur de la palmeraie.

— Je me demande si nous avons eu raison de venir avec les enfants à La Luna, dit-il à Selina, qui avait noué ses cheveux en un épais chignon pour éviter que leur bébé ne les lui tire chaque fois qu'elle le serrait dans ses bras. Leila est tellement turbulente qu'elle sème la pagaille partout où elle va et Kahlil sait à peine marcher.

— Ne t'inquiète pas, leur nounou s'occupera d'eux pendant que nous nous reposerons.

— A condition qu'elle ne nous rende pas son

tablier comme les huit autres que nous avons engagées ces quatre dernières années.

Vêtue d'une robe rose et blanche, mignonne à croquer avec ses boucles cuivrées et ses grands yeux candides, Leila trottina le long des hibiscus qui pointillaient de rouge vif la façade de l'hôtel et leva vers son père un regard noyé d'adoration.

— Je t'aime, papa chéri, déclara-t-elle, un sourire angélique aux lèvres.

— Moi aussi, je t'adore, ma puce, répondit-il en lui prenant la main.

« Mais je te connais trop pour m'en laisser conter, petite coquine », ajouta-t-il au fond de lui-même.

Gravir l'immense escalier dont les marches tournoyaient au-dessus du hall de l'ambassade et dévaler la rampe à califourchon au risque de se rompre les os était le passe-temps favori de Leila. Quand elle rentrait de l'école, elle avait également l'habitude de dessiner des palmiers et des dromadaires sur les murs de sa chambre et de signer ses chefs-d'œuvre en anglais et en arabe.

— La prochaine fois que tu oseras abîmer la tapisserie, je te confisquerai tes crayons de couleurs, bougonnait Kamar dès qu'il franchissait le seuil de la nursery et qu'il voyait de grosses taches vertes et brunes au-dessus du lit.

— Pourquoi ? lui demandait la fillette d'un air innocent. Il y a plein d'arbres et d'animaux dans la maison de papy et tout le monde trouve ça très beau.

Les murs du palais de Zohra-zbel étaient effectivement couverts de fresques somptueuses qui faisaient l'admiration des visiteurs.

Lorsque Kahlil était venu au monde, Kamar avait craint que Leila ne soit jalouse du bébé, mais loin de considérer celui-ci comme un rival, elle l'avait pris sous son aile et initié à ses jeux sans s'apercevoir qu'un nouveau-né ne pouvait ni dévaler une rampe d'escalier ni enfourcher Tallie, le golden retriever des Asad qu'elle confondait avec un poney.

— Nous aurions dû amener nos autres domestiques à La Luna, glissa Kamar à Selina. Qui fera la cuisine quand nous n'aurons pas envie d'aller au restaurant ?

— Toi, mon amour, jeta-t-elle en manœuvrant habilement la poussette où dormait Kahlil. La dernière fois que nous avons séjourné ici, tu m'as préparé des petits déjeuners mémorables et servi de succulents chiches-kebabs.

— Il faut dire que ton grand-père nous avait mis dans une drôle de situation.

— Oh ! nous avons connu pire depuis. Lorsque l'ambassadeur de Syrie et son fils sont venus dîner chez nous à Noël et que Leila n'a rien trouvé de mieux que de raser les cheveux du bambin pendant que je découpais la bûche, j'ai cru mourir de honte.

— Si tu n'avais pas eu l'idée géniale d'offrir une jolie casquette à ce pauvre gamin, rétorqua Kamar avec un sourire, les relations diplomatiques entre Zohra-zbel et les pays du Moyen-Orient auraient été rompues.

— Quand Leila aura dix-huit ans, elle en fera voir de toutes les couleurs aux garçons qui tomberont amoureux d'elle.

— Pour l'instant, c'est à nous qu'elle mène la vie dure.

— Heureusement que son frère est plus calme ! s'exclama Selina avant de traverser la palmeraie à pas mesurés et de pénétrer dans la splendide villa que lui désignait le bagagiste.

— Où est-ce que je vais dormir, papa ? demanda

Leila en s'engouffrant à l'intérieur du vestibule et en balayant l'escalier d'un regard malicieux.

— Dans l'une des trois chambres du rez-de-chaussée, l'informa Kamar. Ta maman et moi prendrons la grande pièce qui se trouve au premier étage. Comme cela, nous aurons la paix.

« Du moins, je l'espère », faillit-il ajouter au souvenir des nombreux week-ends où Leila l'avait réveillé en sursaut depuis le début de l'année.

— Attention, Kahlil ! Il faudra pas faire tomber la cuillère.

Tirée du sommeil par la voix pointue de Leila, Selina glissa un œil vers le cadran de sa montre-bracelet et étouffa un bâillement.

— Miracle ! se moqua-t-elle. Nous avons eu droit à deux heures de répit.

— Que se passe-t-il ? grommela Kamar.

— Les enfants sont déjà debout. Leila a dû aller chercher son frère pendant que la nounou dormait et a décidé de nous rejoindre.

— Combien de fois lui avons-nous interdit de sortir Kahlil de son berceau ?

— Des centaines, mais comme c'est une lève-tôt, elle s'imagine que les autres n'ont pas plus besoin qu'elle de traîner au lit.

— Au lieu de lui chercher des excuses, privons-la de dessert à midi et obligeons-la à rester enfermée jusqu'à demain matin.

— Ah ! non. Nous sommes arrivés à La Luna hier soir et je ne tiens pas à lui gâcher sa première journée de vacances.

— *Ixzit !* maugréa Kamar en entendant des bruits métalliques monter du rez-de-chaussée. Cette coquine est en train de fouiller dans les tiroirs du buffet.

— Pourvu qu'elle ne s'amuse pas à casser la vaisselle ! s'exclama Selina, juste avant que la voix de la nounou ne se mêle au tintement d'un couvert heurtant de la porcelaine. Tu crois que les enfants vont demander à Alice de nous préparer un plateau ?

— J'en ai bien peur.

— Dépêchons-nous, alors, d'enfiler nos vêtements.

— Trop tard ! Je sens déjà l'odeur du chocolat.

— Quand nous sommes venus ici il y a cinq ans, la direction de l'hôtel ne fournissait-elle pas des peignoirs à ses clients ?

— Si. On en trouvait au moins un dans chaque cabinet de toilette.

Après avoir sauté à bas du lit, Selina alla inspecter le placard de la salle de bains, en extirpa deux kimonos et se hâta de rejoindre Kamar sous les festons de velours du baldaquin. A peine s'étaient-ils habillés que Leila poussa la porte de leur chambre et se rua vers eux.

— Je... j'espère que vous n'aviez pas prévu de faire la grasse matinée, bredouilla la nounou en jaillissant du corridor, les bras chargés d'un plateau. J'ai essayé d'expliquer à votre fille que vous étiez en vacances et que vous aviez besoin de vous reposer, mais elle n'a rien voulu entendre.

— Ce n'est pas grave, Alice, jeta Kamar. A Washington, nous nous levons deux heures plus tôt.

— Comme les enfants avaient envie de déjeuner avec vous, j'ai préparé des toasts et du chocolat.

— Co-lat, scanda Kahlil, qui tenait une grosse cuillère entre ses petites mains potelées.

Pendant que son frère grimpait sur les genoux de Kamar, Leila empoigna l'un des bols qu'Alice avait apportés de la cuisine et trempa ses lèvres dans le chocolat mousseux.

« Quelle chance j'ai d'avoir épousé le plus

séduisant des hommes et d'avoir fondé avec lui une aussi jolie famille ! » se dit Selina en contemplant ses trois amours et en sentant une bouffée d'émotion l'envahir.

Auprès de Kamar, de Leila et de Kahlil, elle avait trouvé le bonheur absolu, celui qui dissipe les ombres du passé et qui ensoleille la vie.

Chère lectrice,

Vous nous êtes fidèle depuis longtemps?
Vous venez de faire notre connaissance?

C'est pour votre plaisir que nous avons imaginé un rendez-vous chaque mois avec vos auteurs préférés, vos AUTEURS VEDETTE dans les collections Azur et Horizon.

Les AUTEURS VEDETTE vous donneront rendez-vous pour de nouveaux livres vedette.

Pour les reconnaître, cherchez l'étoile... Elle vous guidera!

Éditions Harlequin

LE FORUM DES LECTEURS ET LECTRICES

CHERS(ES) LECTEURS ET LECTRICES,

VOUS NOUS ETES FIDÈLES DEPUIS LONGTEMPS?

VOUS VENEZ DE FAIRE NOTRE CONNAISSANCE?

SI VOUS AVEZ DES COMMENTAIRES, DES CRITIQUES À FORMULER, DES SUGGESTIONS À OFFRIR, N'HÉSITEZ PAS… ÉCRIVEZ-NOUS À:

LES ENTERPRISES HARLEQUIN LTÉE.
498 RUE ODILE
FABREVILLE, LAVAL, QUÉBEC.
H7R 5X1

C'EST AVEC VOS PRÉCIEUX COMMENTAIRES QUE NOUS ALLONS POUVOIR MIEUX VOUS SERVIR.

DE PLUS, SI VOUS DÉSIREZ RECEVOIR UNE OU PLUSIEURS DE VOS SÉRIES HARLEQUIN PRÉFÉRÉE(S) À VOTRE DOMICILE, NE TARDEZ PAS À CONTACTER LE SERVICE D'ABONNEMENT; EN APPELANT AU (514) 875-4444 (RÉGION DE MONTRÉAL) OU 1-800-667-4444 (EXTÉRIEUR DE MONTRÉAL) OU TÉLÉCOPIEUR (514) 523-4444 OU COURRIER ELECTRONIQUE: AQCOURRIER@ABONNEMENT.QC.CA OU EN ÉCRIVANT À:

ABONNEMENT QUÉBEC
525 RUE LOUIS-PASTEUR
BOUCHERVILLE, QUÉBEC
J4B 8E7

MERCI, À L'AVANCE, DE VOTRE COOPÉRATION.

BONNE LECTURE.

HARLEQUIN.

VOTRE PASSEPORT POUR LE MONDE DE L'AMOUR.

Composé et édité par les
éditions Harlequin
Achevé d'imprimer en mars 2006

à Saint-Amand-Montrond (Cher)
Dépôt légal : avril 2006
N° d'imprimeur : 60396 — N° d'éditeur : 12016

Imprimé en France